Die Lyrik Peter Huchels

Zeichensprache und Privatmythologie

von

Axel Vieregg

ERICH SCHMIDT VERLAG

CIP-Kurztitelaufnahme der Deutschen Bibliothek

Vieregg, Axel
Die Lyrik Peter Huchels : Zeichensprache u.
Privatmythologie.

ISBN 3-503-01218-4

ISBN 3 503 01218 4

© Erich Schmidt Verlag, Berlin 1976
Druck: Lengericher Handelsdruckerei, Lengerich (Westf.)
Gedruckt mit Unterstützung der Deutschen Forschungsgemeinschaft
Printed in Germany · Alle Rechte vorbehalten

Am Nachmittag saßen wir dann, noch mit den gleichen Problemen, den Fragen des alternden Stalin beschäftigt — welche Konstanten gibt es in einer sich wandelnden Welt? — im Arbeitszimmer des witzig-klugen Hans Mayer und sprachen zu viert, der Hausherr, Peter Huchel, der an einem Hymnus auf Persephone schrieb, Ernst Bloch und ich, über Artemis und Apollon.

Draußen, in der Düsternis einer wilhelminischen Straße, gingen die Menschen vorbei, Karren rollten über das Pflaster, Minister Strauß sprach von Krieg, Ulbricht hielt eine drohende Rede, zwei Jungen jagten einem Reifen nach. Im Zimmer aber, unter den Bildern von Karl Valentin und Bertolt Brecht, beschwor man die griechischen Sagen, und noch einmal zeigte es sich, daß die Chiffre des Mythos, Apollon und Eros, Aletheia und Dike — Zeichen und Bild, Formel-spruch und Schlüsselwort zugleich —, exakter als alle Beschreibung und plastischer als jede Begrifflichkeit ist.

Der griechische Mythos, dachte ich wie vor Jahren in einem Gespräch mit Albert Camus [...], das ist vielleicht die einzige, die letzte und unverlierbare Sprache, in der wir uns noch verständigen können.

Walter Jens

Inhalt

Seite

Vorbemerkung 7

Einführung
,Das Bild als Gleichnis' 9

,Unter der Wurzel der Distel'
Die politische Schicht 21

,Himmel ohne Stern und Gnade'
Die existentielle Schicht 51

,Die Mutter der Frühe'
Die natur-mythische Schicht 91

,Unter der blanken Hacke des Monds'
Todesdrohung und Versuch der Synthese 128

Anhang: Das Gesetz 148

Literaturverzeichnis 156

Verzeichnis der behandelten Gedichte 164

Index und Stellennachweis der behandelten Schlüsselwörter 166

Vorbemerkung

Naturlyrik oder politische Dichtung? Die Kritik hat sich schwer getan, Huchels Werk zwischen den Polen, die mit diesen Begriffen umschrieben sind, anzusiedeln. Die Unsicherheit, die sich hier ausdrückt und die beim Erscheinen von Huchels letztem Band *Gezählte Tage* zur Verärgerung wurde, als Hans-Jürgen Heise in *Die Welt* von einem „Fall Peter Huchel" sprach[1], rührt, so scheint es, von einem unzureichenden Verständnis von Huchels Bildersprache her. Die vorliegende erste detailliertere Untersuchung von Huchels Werk versucht nun, diese Bildersprache aus ihren eigenen Bedingungen und aus den Funktionen, die Huchel ihr gibt, zu erklären. Es dürfte sich dann zeigen, daß es Huchel gelingt, die Elemente, die man als zur Naturlyrik einerseits oder zur politischen Dichtung andererseits gehörend glaubte, auf einer höheren Ebene so zu vereinen, daß sich ein Drittes, nämlich eine existentielle Dichtung, ergibt.

Huchel bedient sich in großem Maße des offenen und verhüllten Zitats. Daher wird in dieser Arbeit der Blick in jenen Fällen auf die Quellen gelenkt, wo dies der Erklärung dient. Unberücksichtigt bleiben jedoch bloße Ähnlichkeiten des Wortmaterials mit anderen Dichtern, wenn aus der Betrachtung von deren Werk wenig für das Verständnis des Huchelschen Textes gewonnen wird. So soll auf sein Verhältnis zu Trakl, den er sehr verehrt[2], nicht eingegangen werden, obwohl Huchel eine Anzahl von Bildern mit Trakl gemein hat. Wie sie sich in Huchels Gedichten von ihrer Verwendung bei Trakl unterscheiden, müßte eine Spezialstudie erbringen. Eine kurze, ursprünglich auf tschechisch verfaßte Betrachtung von Ludvík Kundera, die sich u. a. mit dem Einfluß Trakls auf Huchel beschäftigt, liegt inzwischen in dem Suhrkamp-Band *Über Peter Huchel*[3] auch auf deutsch vor, beschränkt sich aber auf den Nachweis einiger Parallelen.

---

1 Hans-Jürgen Heise, Der Fall Peter Huchel. In: *Die Welt*, 28. Okt. 1972.

2 „Ich las nachts Trakl, immer wieder Trakl." Dankrede zur Verleihung des österreichischen Staatspreises für europäische Literatur. In: *Literatur und Kritik* 63, April 1972, S. 130.

3 *Über Peter Huchel*, hrsg. v. Hans Mayer, Frankfurt a. M. 1973. Der Beitrag von Ludvík Kundera findet sich auf den Seiten 111—118.

Noch etwas ist nicht Absicht dieser Arbeit: sie will, trotz ihres Untertitels, keinen Beitrag zur Diskussion um die Stellung des Mythos in der Literatur bringen. Es geht ihr primär um das Erhellen der Huchelschen Zeichensprache innerhalb eines der Privatmythologie Hölderlins ähnlichen Weltentwurfes. So wird wiederum nur hingewiesen auf jenes Material, das unmittelbar dem Verständnis der Gedichte dient, vor allem auf das umfangreiche Werk Johann Jakob Bachofens, dessen Mythendeutung für Huchel von großer Bedeutung war.

Das Manuskript hat Peter Huchel vorgelegen, und der Verfasser hatte die große Freude, von Herrn Huchel die Bestätigung zu erhalten, daß er in allen Grundthesen mit dessen Intentionen übereinstimme: „Endlich ein Interpret, der den richtigen Schlüssel besaß, um verborgene Türen zu öffnen[4]." Ich möchte daher diese Vorbemerkung nicht abschließen, ohne Herrn Huchel für die Zeit, die er mir zur Verfügung gestellt hat, sowie für seine Hinweise und seine Ermunterung zu danken. Auch danke ich den Professoren Eric Herd und Walther Killy für ihre Hilfe und Förderung, nicht zu vergessen Frau Dr. Patricia Lopdell, die mir mit wacher Kritik zur Seite gestanden hat. Last not least aber gilt mein besonderer Dank der Deutschen Forschungsgemeinschaft, ohne deren großzügige Hilfe das Manuskript noch lange in der Schublade geblieben wäre.[5]

Massey University, Palmerston North/Neuseeland.

Axel Vieregg

---

[4] Brief vom 5. April 1974.
[5] Dieses Buch ist aus einer Dissertation hervorgegangen, die 1972 von der Faculty of Humanities, Massey University, Palmerston North, Neuseeland, angenommen wurde.

Einführung

‚Das Bild als Gleichnis'

Peter Huchel: geboren 1903, aufgewachsen in einem Dorf der Mark Brandenburg, nach dem ersten Weltkrieg ein abgebrochenes Studium, Gelegenheitsarbeiten in Frankreich und auf dem Balkan, einige Veröffentlichungen des knapp Dreißigjährigen in Willy Haas' *Literarischer Welt*, Hörspiele, die ungedruckt verlorengingen, das Schweigen des inneren Emigranten von 1933 bis 1945, sowjetische Kriegsgefangenschaft, nach der Rückkehr künstlerischer Leiter des sowjetzonalen Berliner Rundfunks, schließlich weithin gewürdigter Herausgeber von *Sinn und Form* bis zur zwangsweisen Absetzung im Herbst 1962, neun Jahre bewacht und isoliert in Wilhelmshorst, nach Ulbrichts Abgang endlich die Ausreise in den Westen im Mai 1971 — dazwischen zwei schmale Gedichtbände, *Die Sternenreuse*, Altes sammelnd bis 1947 und, 1963, nur im Westen erschienen, *Chausseen Chausseen*, neun Jahre später nun ein neuer, umstrittener Band, *Gezählte Tage*: dies sind die Daten, die wir aus Zeitungen, Monatsblättern und Nachschlagewerken kennen. Sie entbehren nicht der politischen Signifikanz und waren geeignet, Neugier und Mitgefühl für den drüben Andersdenkenden zu wecken, dessen Lyrik nun als Stellungnahme empfunden und nach ihrem dissidenten Inhalt abgeklopft wurde. Erschöpfte sich jedoch das Interesse des Tages, galt Ingo Seidlers Wort: „Um Peter Huchel ist es wieder still geworden[1]." Die zahlreichen, zum Teil verlegenen Reaktionen auf Huchels *Gezählte Tage* ändern daran nicht viel; auch bei dem 1973 erschienenen Suhrkamp-Band *Über Peter Huchel* handelt es sich großenteils um kürzere Rezensionen und um bereits an anderer Stelle veröffentlichte Beiträge.

Zählt man alles zusammen, was bisher, außer in der Tagespresse, über Peter Huchel geschrieben worden ist, so erstaunt, um wieviel geringer diese Literatur im Vergleich zu der über Günter Eich etwa oder Paul Celan und Johannes Bobrowski ist. Es scheint sich darin weniger ein Werturteil als die Unsicherheit im Zugang zum Werk auszudrücken: Die vielen allgemeingehaltenen Rezensionen und Würdigungen, das runde Dutzend Einzelinterpretationen und die wenigen, und wenig umfangreichen, Versuche einer Analyse des gesamten Werks widmen sich fast alle,

---

[1] Ingo Seidler, Peter Huchel und sein lyrisches Werk. In: *Neue Deutsche Hefte* 117, 1968, S. 11.

wie es 1964 Peter Hamm[2] betonte und wie es seitdem kaum anders geworden ist, „der politischen Figur" und betrachten vor allem jenen relativ kleinen Kreis von Gedichten, in denen eine biographisch zeitgeschichtliche Aussage sich leicht herauslösen läßt. Immerhin hat die mehrfache Beschäftigung mit einem jener Gedichte, *Der Garten des Theophrast*, zu einer exzellenten Interpretation von Peter Hutchinson[3] geführt, die, ausgehend von zwei Interpretationen desselben Gedichtes von Hans Mayer[4] und Robert Lüdtke[5], zum erstenmal nicht nur nach dem Inhalt, sondern nach den poetischen Mitteln fragt und exemplarisch das Netz von literarischen, geschichtlichen und mythologischen Anspielungen sichtbar macht, deren sich Huchel bedient, um in jener Gruppe von Gedichten das gegenwärtige Geschehen künstlerisch zu objektivieren, ihm Konturen zu verleihen und aus persönlicher Vorsicht zu maskieren.

Aber, wertvoll wie diese Untersuchung methodisch ist, sie bringt nur insofern eine Akzentverschiebung, als der politischen F i g u r der politische D i c h t e r zur Seite gestellt wird. Am weitesten in diese Richtung geht John Flores, in seinem 1971 veröffentlichten Buch *Poetry in East Germany*[6], das den größten Teil der Huchelschen Gedichte nicht behandelt, den kleineren aber aus marxistischer Sicht auf die politische und biographische Relevanz befragt. Flores folgt dabei, wie er selbst angibt[7], der Einteilung in vier Perioden, die Peter Hamm in Huchels Werk unterschieden hatte; diese Periodisierung sei hier zitiert, weil sie für die bisherige Beschäftigung mit Huchel charakteristisch ist, der es nicht gelang, über jene erste, unmittelbar zugängliche Schicht hinauszudringen:

> Die vier Abschnitte entsprechen ungefähr vier Perioden unserer neueren Geschichte. Der erste, den man — nach einem Gedichttitel — „Herkunft" nennen könnte, spricht von des Dichters Kindheit in der Mark Brandenburg und den entrechteten Menschen, neben denen Huchel im scheinbaren Frieden der Weimarer Republik aufwuchs: den Knechten, Mägden, Schnittern, Fischern, Kesselflickern, Kiepenflechtern und Bettlern, auch von den Bettlern

[2] Peter Hamm, Vermächtnis des Schweigens: Der Lyriker Peter Huchel. In: *Merkur*, Nr. 18, 1964, S. 480.

[3] ‚Der Garten des Theophrast' — An Epitaph for Peter Huchel? In: *German Life and Letters*, Nr. 24, 1971, S. 125—135.

[4] „Zu den Gedichten von Peter Huchel." In: *Zur deutschen Literatur der Zeit.* Hamburg 1967, S. 180—182.

[5] „Über neuere mitteldeutsche Lyrik im Deutschunterricht der Oberstufe." In: *Der Deutschunterricht*, Nr. 20, 1968, S. 49—51.

[6] John Flores, *Poetry in East Germany*, Adjustments, Visions, and Provocations, 1945—1970. New Haven and London 1971.

[7] S. 121.

von Paris, das Huchel nach seinem Studium in Berlin, Freiburg und Wien
jahrelang durchstreifte. Den zweiten Abschnitt bezeichnen die beiden Ge-
dichtüberschriften „*Späte Zeit*" und „*Deutschland*": er umspannt alle Gedichte der Jahre 1933 bis 1945, vor allem die Texte über die Verwüstungen
des Zweiten Weltkrieges. Der dritte Abschnitt stünde — nach einem frag-
mentarisch gebliebenen Gedichtzyklus — unter dem Titel „*Das Gesetz*"; zu
ihm gehören jene vorsichtig optimistischen Gedichte, die nicht nur vom
Wiederaufbau schlechthin, sondern von dem besonderen Versuch des Auf-
baus einer neuen Gesellschaft in der DDR sprechen. Die letzte Epoche in
Huchels Werk ist die umfangreichste, vielschichtigste und auch vieldeutigste.
Nennen wir sie nach einer Zeile aus dem hierher gehörenden Gedicht „*Winterpsalm*": „Denn da ist nichts als vieler Wesen stumme Angst." Alle Gedichte dieser Zeit sprechen, wenn auch sehr indirekt, von Trauer und ohn-
mächtiger Verzweiflung über die Pervertierung des Sozialismus, gerade indem sie sich zu dem, was seit Jahren in der DDR geschieht, völlig der
Stimme enthalten.[8]

Huchel selbst hat sich mit Recht gegen den einseitigen Versuch, aus den
biographischen Umständen einen Zugang zu seinem Werk zu gewinnen,
gewehrt, wohl wissend, daß hinter der grellen Beleuchtung des Menschen
der Künstler unsichtbar zu werden droht. So schrieb er einmal, in der
einzigen veröffentlichten Stellungnahme zu einem eigenen Gedicht: „Auch
dieser Text will für sich selber stehen und sich nach Möglichkeit behaupten
gegen seine Interpreten, gegen etwaige Spekulationen, Erhellungen und
Biographismen" und forderte statt dessen den Interpreten auf, „mit
legitimen Mitteln den Text zu deuten und dessen einzelne Schichten auf-
zudecken"[9]. Vor dieser Forderung hat die Beschäftigung mit Huchel
resigniert. So stellte sich jedesmal Hilflosigkeit an dem Punkt ein, wo die
Ausdeutung über die politisch-biographische Schicht hinausgehen wollte.
Schnell und oft undifferenziert war der Begriff ,Naturlyrik' zur Hand,
man rechnete ihn zur Lehmann-Schule[10], sah in ihm den Nachfolger
Fontanes als Schilderer der Mark[11] und glaubte, seine neuerliche Beschäftigung mit den Gestalten und Landschaften der Kindheitsgedichte als
Flucht nach innen, also wieder politisch-biographisch, adäquat erklärt zu
haben. Nun war es gerade der als der eigentliche und reinste Naturlyriker

8 Peter Hamm, op. cit. S. 481.

9 „*Winterpsalm*." In: Hilde Domin, *Doppelinterpretationen*. Frankfurt a. M./
Bonn 1966, S. 96.

10 Albert Soergel/Curt Hohoff, *Dichtung und Dichter der Zeit*. Düsseldorf
1964, Band II, S. 631.

11 Hans-Jürgen Heise, Peter Huchels neue Wege. In: *Neue Deutsche Hefte*
Nr. 10, 1964, S. 106.

geltende Wilhelm Lehmann, der Huchels Werk der schärfsten Kritik
unterzog[12], weil er es — auch da wo es unpolitisch war — nicht als Naturlyrik in seinem Sinne erkannte. Was er tadelte, war die „Unschärfe" einer
Metaphernsprache, die nicht, wie in seiner eigenen und etwa der Langgässer und des frühen Krolow Naturlyrik, weitgehend mimetisch oder
höchstens abstrahierend-verfremdend verfuhr, sondern die Landschaft
ganz und gar dem Willen des Dichters unterwarf. Er verdammt Huchels
subjektive Vorstellungswelt, die sich von der Empirie losgelöst hat, und
stellt die Frage: „Wozu Verwirrung unter Wesen und Dingen stiften,
ihren Frieden zerbrechen, mit Unklarheit stören, wo es um jenes Glück
des anschauend Fühlens geht?" Was er nicht sah — was diese Kritik aber
deutlich macht — und was auch diejenigen nicht sehen, die in Huchel
einen Naturlyriker im eigentlichen Sinne erkennen wollen, ist, daß es
Huchel nicht so sehr „um jenes Glück des anschauend Fühlens" zu tun ist,
sondern, wie er es in der genannten Selbstinterpretation angibt, um „das
Bild als Gleichnis". Das heißt, der Naturgegenstand wird zum privaten
Zeichen, das etwas ganz anderes als das anscheinend Beschriebene meint.
Huchel selbst gebraucht das Wort „Zeichen" einmal in diesem Sinne. In
dem frühen Gedicht *Unter Ahornbäumen*[13] findet sich die Zeile: „Ein
Napf aus Laub und andere Zeichen." Nicht als Naturbild ist der „Napf
aus Laub" zu verstehen. Seine Bedeutung ergibt sich erst, wenn man weiß,
daß der Ahorn des Titels bei Huchel immer der Totenbaum ist, „Laub"
aber für das Sterben steht, so daß der „Napf aus Laub" als Urne die
Todesahnung umschreibt. Manche Interpreten haben dieses andere, da
wo sie es nicht politisch fassen konnten, gespürt, aber nicht erklärt.[14]
Flores muß am Ende seines Kapitels eingestehen, daß Huchels Stil
‚kryptisch' scheint, ein Wort, das in einer Rezension des *Times Literary
Supplement* wiederkehrt, die gerade von Huchels frühen, im allgemeinen

---

[12] Wilhelm Lehmann, Maß des Lobes. In: *Deutsche Zeitung und Wirtschaftszeitung*, 8. Februar 1964, S. 17.

[13] *Die Sternenreuse*, Gedichte 1925—1947. München 1967, S. 70.

[14] Eine Ausnahme ist nur Fritz J. Raddatz in seinem kurzen Kapitel „Natur
als Prozeß der Geschichte — Peter Huchel". Er schreibt dort ganz richtig: „Bei
genauerer Analyse stellt sich heraus, daß die meisten Kritiker Huchels auf sein
Wortmaterial hereinfallen und den eigentlich gemeinten Sinnzusammenhang un-
beachtet lassen, daß man Huchels Naturverbundenheit nicht als lyrische Technik
erkannt hat etwa im Sinne des Satzes von Ezra Pound ‚The natural object is
always the adequate symbol'." In: *Traditionen und Tendenzen — Materialien
zur Literatur der DDR*. Frankfurt 1972, S. 125. Allerdings erklärt auch er die
Naturbilder Huchels in erster Linie als „gesellschaftliche Topoi" (S. 126) und
beschränkt sich auf einige knappe Andeutungen.

unpolitischen und als leichtverständliche Evokationen der märkischen Kindheitswelt aufgefaßten Gedichten schreibt, sie seien „slow, curious, cryptic"[15]. Ingo Seidler endlich spricht von der „Selbstherrlichkeit der Metapher" bei Huchel und der Tendenz, „einzelnen Bildern immer größeres Gewicht und immer größere Freiheit zu geben, bis solche Bilder schließlich zum einzig angestrebten Selbstzweck werden". Mit den Worten: „Auch gefährdet solche Freiheit nicht selten den Gesamtnexus", entsagt er weiterer Deutung[16].

Die vorliegende Arbeit will einen Ausweg aus diesem Dilemma zeigen. Sie versucht, jene Forderung zu erfüllen, die jüngst Gregor Laschen, für den sich Huchels Verse ebenfalls „der belegenden Interpretation" [...] „der unmittelbaren Kommunikation entziehen", in einem kurzen Kapitel über „Sprache und Zeichen in der Dichtung Peter Huchels" in der Feststellung formulierte:

> Daß eine solche Interpretation [...] erst nach Abklärung der Zusammenhänge und Bedingungen dieses Zeichen-Systems, seiner Struktur-Internität möglich wird, sollte unmittelbar einleuchten.[17]

Im Mittelpunkt einer solchen ‚Abklärung' muß der Nachweis stehen, daß es, im Gegensatz zu Hans-Jürgen Heises Ansicht, Huchel bewältige seine Zeit „ohne jede Hilfe durch ein stützendes Glaubens- oder Denk-

---

15 *Times Literary Supplement,* 28. September 1967, S. 912.
16 Ingo Seidler, op. cit. S. 26.
17 Gregor Laschen, *Lyrik in der DDR* — Anmerkungen zur Sprachverfassung des modernen Gedichts. Frankfurt a. M. 1971, S. 43. Laschen macht keinen eindeutigen Unterschied zwischen Zeichen und Chiffre. Er schreibt: Huchels Gedichte „entziehen" sich dem „an sich schon mißverständlichen, nicht eindeutigen Begriff der Naturlyrik, des Naturgedichtes rigoros [...] in Richtung auf ein Sprechen, das mehr und mehr als Chiffre, hermetisch abgeschlossene Bildhaftigkeit, als Z e i c h e n - S e t z u n g auftritt" (S. 39, Hervorhebung vom Autor). — Eine solche Unterscheidung ist bei Huchel auch in einzelnen Fällen schwer. So ist die gleich zu untersuchende „Distel" einmal C h i f f r e, d. h. das nur systemimmanent erkennbare, der empirischen Realität entbehrende „evokative Äquivalent" (Heinz Otto Buger, Von der Struktureinheit klassischer und moderner deutscher Lyrik. In: Heinz Otto Burger, Reinhold Grimm: *Evokation und Montage.* Drei Beiträge zum Verständnis moderner deutscher Lyrik. Göttingen 1961, S. 15) für die Sprachschwierigkeit („Unter der Wurzel der Distel wohnt nun die Sprache"), ein andermal Z e i c h e n, d. h. die empirisch wahrgenommene Realität der Samenkapsel („wo an der Distel das Ziegenhaar weht"), die gleichnishaft auf die Chiffrenfunktion zurückweist. In dieser Arbeit werden die termini Chiffre und Zeichen mit diesen hier gegebenen Definitionen verwendet.

system"[18], bei Huchel ein festgefügtes Denkgebäude gibt, in dem sich nämlich die Reaktion auf ein chiliastisches Christentum mit der Rückbesinnung auf antike Diesseitsbetonung zur Privatmythologie verbindet, wie sie Walther Killy als ein „neues System von Bildern"[19] definiert, „das sich systemimmanent erläutert"[20] und zu einer Ersatzreligion wird:

> An die Stelle der überlieferten, gerade durch ihre Unverbindlichkeit objektivierenden mythologischen Weltdeutung, deren Figurationen vorgegeben und gemeinsamer Besitz des ganzen Kulturkreises sind, tritt die Glauben erheischende, die ganze Existenz deutende Privatmythologie. Sie fordert, daß man in ihr System eintrete, das sich immanent erläutert, sie fordert Glauben an die religiöse Funktion der Poesie.[21]

Methodisch heißt das zunächst nichts anderes, als daß Huchels Wort vom „Bild als Gleichnis" ernstgenommen und die von Hans Mayer, Peter Hutchinson und anderen bei einigen wenigen Gedichten wahrgenommene Technik des mythologischen, biblischen und historischen Bezugs über die politische Bedeutung hinausgehend in Huchels gesamtem Werk untersucht wird, um auf diese Weise jene anderen „Schichten", von denen er ja im Plural spricht, freizulegen und sein Denksystem zu rekonstruieren.

Nun braucht nicht betont zu werden, daß Huchel mit der Entwicklung einer Zeichensprache in der neueren deutschen Lyrik nicht allein steht. So unterstreicht die Literatur über Günter Eich, der zur selben Zeit zu schreiben anfing wie Huchel und der zuerst in der zwischen 1929 und 1932 erschienenen literarischen Zeitschrift *Die Kolonne* veröffentlichte, deren Lyrikpreis Huchel bekam, immer wieder den Zeichencharakter der Eichschen Lyrik und hat besonders in der Arbeit von Egbert Krispyn, „Günter Eich and the Birds"[22], eine exemplarische Analyse in diesem Sinne gegeben. In der ersten ausführlichen Studie zu Wilhelm Lehmann schreibt Hans Dieter Schäfer von Lehmanns Gedichten: „Das Sichtbare spiegelt das Unsichtbare wider, oft verschlüsselt, als geheime Schriftzeichen, die schwer zu lesen sind[23]." Von ihm stammt auch der wertvolle Hinweis auf Jakob Böhme und besonders auf dessen Schrift *De Signatura Rerum*, die

---

[18] Hans-Jürgen Heise, Peter Huchels neue Wege. In: *Neue Deutsche Hefte* 10, 1964, Heft 99, S. 109.

[19] Walther Killy, *Wandlungen des lyrischen Bildes*. Göttingen 1964[4], S. 44.

[20] Ders.: Mythologie und Lyrik. In: *Die neue Rundschau* 80, 1969, S. 713.

[21] Ders.: *Wandlungen des lyrischen Bildes*, loc. cit.

[22] *The German Quarterly* 27, Heft 3, 1964, S. 246—256.

[23] Hans Dieter Schäfer, *Wilhelm Lehmann* — Studien zu seinem Leben und Werk. Bonn 1969, S. 187.

Lehmann gekannt hat und auf die er sich in seinem Gedicht *Die Signatur* bezieht.[24] Böhme schreibt:

> Die gantze äussere sichtbare Welt mit all ihrem Wesen, ist eine Bezeichnung oder Figur der inneren geistlichen Welt; alles was im inneren ist, und wie es in der Wirckung ist, also hats auch seinen Character äusserlich: Gleichwie der Geist ieder Creatur seine innerliche Geburts-Gestaltniß mit seinem Leibe darstellet und offenbaret; Also auch das ewige Wesen.

> Dasselbe gefasste Wort hat sich mit Bewegung aller Gestalten mit dieser sichtbaren Welt, als mit einem **s i c h t b a r e n   G l e i c h n i ß**, offenbaret, daß das geistliche Wesen in einem leiblichen offenbar stünde: Als der innern Gestalt Begierde hat sich äusserlich gemacht, und stehet das Innere im Aeusseren, das Innere hält das Aeussere vor sich als einen Spiegel, darinnen es sich in der Eigenschaft der Gebärung aller Gestältniß besiehet; das Aeussere ist seine Signatur.[25]

Huchel ist mit Böhme und der Mystik im allgemeinen sehr gut vertraut. Auf eine entsprechende Frage schrieb er dem Verfasser dieser Arbeit:

> [...] ich habe als Junge im Bücherschrank meines Großvaters neben englischen Gespensterromanen, neben „Meyers Groschen-Bibliothek der deutschen Classiker für alle Stände — Bildung macht frei —" auch die „Volks-

---

24 Wilhelm Lehmann, *Sämtliche Werke* in drei Bänden, Gütersloh 1962, Band III, S. 514. Schäfer behandelt das Gedicht.
25 Jakob Böhme, *Sämtliche Schriften*, neu herausgegeben von Will-Erich Peuckert, Stuttgart 1957, Band IV, S. 96—97. Hervorhebung vom Autor. — Der Zeichencharakter von Sprache und Welt gehörte im Kreis der von Martin Raschke herausgegebenen *Kolonne* zu den geläufigen Vorstellungen. Raschke selbst z. B. schrieb in einem dort veröffentlichten Artikel „Über die Sprache": „Das Wort aber ist ein Zeichen für etwas, das eigentlich nicht ausdrückbar ist." (Zitiert nach: *Hinweis auf Martin Raschke* — eine Auswahl aus seinen Schriften. Hrsg. v. Dieter Hoffmann, Heidelberg, Darmstadt 1963, S. 13.) An anderer Stelle schreibt Raschke über die Zeichenhaftigkeit der Welt: „Aber Gottes Mund blieb stumm, nur seine Hände sprachen, Dinge wanderten aus ihnen hervor in endlosem Fluß, die Dinge waren seine Worte. [...] Ja, Gott redet durch Dinge." („Ein Mensch ist allein", op. cit. S. 20.) Das entspricht durchaus auch der Lehre Böhmes. — Hier muß hinzugefügt werden, daß Huchel Wert auf die Feststellung legt, daß er nicht, wie fälschlicherweise oft betont wird, zum Kreis der *Kolonne* gehört, deren Lyrikpreis er „aus Zufall" bekam. Auch bestehen weder zu Lehmann noch zu Eich Verbindungslinien in Form von Einflüssen auf sein Werk: „Ich kam aus einer ganz anderen Ecke her [...]" (Brief vom 3. Januar 1974.) Der Hinweis auf die allen gemeinsame Auffassung von der Zeichenhaftigkeit der Welt und der Sprache — eine Gemeinsamkeit, die sich aus der Zeitströmung ergibt — dient lediglich der Verdeutlichung von Huchels eigener Technik, die diese Zeichenhaftigkeit konsequenter nutzbar macht als Lehmann und Eich es tun.

schriften zur Umwälzung der Geister" gefunden. Diese Schriften der frei-
religiösen Gemeinde zu Liegnitz haben mich damals stark beeindruckt. Als
ich aber 1923 die Humboldt-Universität bezog und mich dort umsah, ent-
deckte ich die Mystik. Neben Meister Eckehardt, Seuse, Swedenborg, Para-
celsus, Baader, Theophrast von Hohenheim u. a. war es vor allem Jakob
Böhme, der mich fesselte, [...].[26]

In dem späten Gedicht *Alt-Seidenberg* — das ist der Geburtsort Böhmes
— hat Huchel, wie gegen Ende der Arbeit gezeigt werden soll, eine Synthese der Böhmeschen Philosophie mit seinen eigenen Vorstellungen vollzogen. Er schreibt dort:

> Am Mittag
> fand er im Hügel eine Höhle
> von Wurzeln starrend,
> im Winkelmaß der Schatten
> stak eine Bütte Gold.
> Er wich zurück und schlug
> das spukabwehrende Zeichen,
> [...] [27]

Das ist eine teilweise wörtliche Anspielung auf ein Jugenderlebnis
Böhmes, das dessen erster Biograph, Abraham von Franckenberg, in seiner
De Vita et scriptis Jacob Boehmes wie folgt schildert:

> Bei welchem seinem Hirtenstande ihm begegnete, dass er einstmals um die
> Mittagstunde sich von andern Knaben abgesondert und auf den davon nicht
> weit gelegenen Berg, die Landeskrone genannt, allein für sich selbst ge-
> stiegen, und allda zuoberst (welchen Ort er mir selber gezeiget und erzählet),
> wo es mit grossen roten Steinen verwachsen und beschlossen, einen offenen
> Eingang gefunden, in welchen er aus Einfalt gegangen und darinnen eine
> grosse Bütte mit Geld angetroffen, worüber ihm ein Grausen angekommen,
> darum er auch nichts davon genommen, sondern also ledig und eilfertig
> wieder herausgegangen sei.[28]

Huchel gebraucht dasselbe Bild in dem in den zwanziger Jahren ent-
standenen Gedicht *Wendische Heide:*

> Wendische Heide, weißes Feuer
> du Bütte Gold und Mittagsspuk
> [...] [29]

---

[26] Brief vom 5. April 1974.
[27] *Gezählte Tage*, Gedichte. Frankfurt 1972, S. 53.
[28] Zitiert nach: Alexandre Koyré, *La philosophie de Jacob Boehme.* Paris
1929, S. 14.
[29] *Die Sternenreuse*, S. 11.

So schlägt sich Huchels Beschäftigung mit Böhme schon in seinen frühesten Anfängen nieder, und Böhmes Signaturlehre gab ihm, wie er in einem Gespräch mit dem Verfasser bestätigte, den entscheidenden Anstoß, seinerseits eine Zeichensprache zu entwickeln.[30] Es waren also keinesfalls die politischen Umstände allein, die Huchel zur späteren Hermetisierung eines in seinen Anfängen etwa leichter verständlichen Werkes gezwungen haben. Seine Zeichensprache war schon in den zwanziger Jahren festgelegt, ehe sie sich, erst unter Hitler und dann wieder in den Jahren seiner Isolation in der DDR, als geeignetes Mittel der Verschlüsselung einer anders nicht mehr aussagbaren Gegenwart erwies. Seine Zeichensprache stammt aus der Mystik und nicht aus der Zeitsituation. Daher steht denn auch jedes bisher nur politisch interpretierte Gedicht in einem weiteren, existentiellen Zusammenhang. Allerdings weisen nun, wie schon gesagt, Huchels Zeichen nicht mehr auf „das ewige Wesen“ Böhmes (s. o. das Böhme-Zitat), sondern im Gegenteil gerade auf das Ausbleiben Gottes. Wie sich Huchel einmal der Fragestellung und zum Teil auch der Sprache des Mystikers und Gottsuchers Böhme bedient, nicht, um wie dieser Gott zu finden, sondern um statt dessen jede Gottsuche als illusorisch hinzustellen, zeigt eines der ersten Gedichte Huchels, das 1925 unter dem Pseudonym Helmut Huchel veröffentlichte *Du Name Gott*, in dem zum erstenmal das Thema der prometheischen Revolte anklingt:

> Du Name Gott, wie kann ich dich begreifen?
> Du schweigst bewölkt. Du bist. Wir aber werden
> nicht Frucht aus deinem Wort. O regne Licht
> in uns! Wir blühen wohl in deinem Reifen,
> dann aber welken wir, noch in Gebärden,
> denn mystisch dunkelt uns dein Angesicht.
>
> Bist du denn wirklich hinter deinem Namen?
> Oder nur Bild, das wir uns zärtlich malen
> aus unserer Tiefe? Sind nicht alle Stufen
> der Erlösung Taten nur aus unserm Samen?
> [...][31]

Eine ganz ähnliche Negativierung läßt sich auch bei Günter Eich feststellen, über dessen Zeichensystem Günter Bien schreibt:

---

[30] Vgl. auch die Wiedergabe einer Seite aus *Die Literarische Welt* vom April 1931, auf der sich ein Gedicht Huchels neben einer Abbildung aus einer Böhme-Ausgabe findet (Abb. geg. v. S. 20).

[31] In: *Das Kunstblatt* 9, 1925, S. 166.

Die Welt ist in einem mittelalterlich anmutenden Sinne zeichenhaft geworden, aber während dort alles transparent auf Gott hin war, sind hier Richtung und Sinn der Botschaft verschlüsselt und unbekannt.[32]

Huchel selbst hat einmal, in einem seiner wenigen Prosatexte, der frühen Anti-Weihnachtsgeschichte *Von den armen Kindern im Weihnachtsschnee*[33], unumwunden seine Einstellung gegenüber dem Christentum bekundet. Dort lockt ein höllischer Spuk am Heiligabend zwei Büdnerkinder in den verschneiten Wald, narrt sie mit einem strahlenden Weihnachtsbaum und dem hellen Stern der Christnacht, bis beide plötzlich erlöschen und, das Ausbleiben eines schwachen und gleichgültigen Christus anklagend, eine die Kinder tötende Finsternis und Eiseskälte einsetzt. Die Leichen werden „in den Zwölften" nach Weihnachten gefunden. Alle Naturereignisse und -dinge: Schneefall, Dunkelheit, Kälte und Spukwald weisen gleichnishaft auf eine Gottesfinsternis und empfangen ihre Daseinsberechtigung in der Geschichte nur aus dieser Vorstellung, nicht aus dem „anschauend Fühlen" der Winterlandschaft. Huchel gibt einen deutlichen Hinweis darauf, wie sie als Zeichen innerhalb dieser Vorstellung zu verstehen sind und aus welcher Quelle, unter anderen, diese Zeichen stammen. Er erwähnt eine Elster:

> Aber kaum hatten die Kinder die nächste Schneise überquert, da schrie mit höhnischem Schackern die Elster hinter ihnen her, welche auf der Kiefer wohnte — der Hexenvogel, der einst beim Tode Christi nicht wie alle anderen Vögel geklagt, sondern über die Schwäche des Herrn gelacht und gespottet hatte.

Einen solchen erklärenden Zusatz wird Huchel nicht mehr liefern. In dem etwas späteren und vorwiegend politischen Gedicht *Zwölf Nächte* läßt der Satz: „Die Elster flattert schwarz und weiß / im schattenlosen Wind"[34] nicht länger unmittelbar erkennen, daß es sich um denselben Hexenvogel handelt. Überall dort, wo eine Hilfestellung gegeben war, eliminiert Huchel sie in späteren Fassungen[35]; auch wird er, außer in einigen frühen Gedichten, sein Thema nicht mehr in eine unmittelbar zugängliche sprachliche Form bringen. So öffnet sich erst allmählich, nach intensiver Beschäftigung mit dem ganzen Werk, hinter allem was Huchel

---

[32] Günter Bien, Option für die Frage. Versuch über das Werk Günter Eichs. In: *Text und Kritik*, 1964, Heft 5, S. 5.

[33] In: *Die literarische Welt 7*, 1931, Nr. 51—52, Weihnachtsbeilage, S. 2.

[34] Peter Huchel, *Die Sternenreuse — Gedichte 1925—1947*. München 1967, S. 76.

[35] Vgl. unten die Bemerkungen zu den Gedichten *Südliche Insel*, S. 35, und *Hinter den weißen Netzen des Mittags*, S. 39.

sichtbar macht, jener Blick in eine Sphäre, in der sich das jeweils genannte
Einmalige und Konkrete in das zeitlos Mythische verkehrt. Dies gilt
besonders da, wo die Abwendung vom Christentum sich einen neuen Gott
im „Dich will ich rühmen, Erde" [36] schafft, das Landschaft und Menschen
zu Erscheinungsformen der Großen Mutter werden läßt, wie zu zeigen ist.

Wir beginnen mit der politischen Schicht in Huchels Dichtung und untersuchen die Bedingungen, unter denen sie sich eines Systems von Zeichen und
mythologischen Bezügen bedient. Schon da wird es sich andeuten — und in
der Folge bestätigt werden —, daß fast jedes scheinbar ausschließlich politisch zu verstehende Gedicht auf den größeren Zusammenhang des eben
skizzierten Gedankengebäudes hinweist und damit dann, über das bloße
Bezugssystem hinaus, zur eigentlichen privaten Mythologie, in jenem
zweiten Sinn von Glaubenswelt, gelangt. So steht die politische Dunkelheit, auf die eine konkrete Dunkelheit gleichnishaft zeigt, ihrerseits wiederum nur „als Gleichnis" für eine weit umfassendere Dunkelheit der
conditio humana. Dies hat als einzige Sabine Brandt gespürt, als sie, ohne
es jedoch weiter auszuführen, schrieb:

> Das märkische Land tritt aus der unmittelbaren Darstellung zurück, die
> Probleme und Leiden der Menschen stehen nicht nur für sich, sondern werden
> zum Paradigma einer Welt, die unvollkommen ist und bleiben wird, einer
> existentiellen Gleichung, die nicht aufgeht. [37]

Die auf die Erörterung der politischen Aspekte folgenden Kapitel
werden in der luziferischen Revolte gegen eine unvollkommene Welt und
in der Besinnung auf die Selbstverantwortung des Menschen, der Heiligung von Arbeit und Erde im Zeichen der Großen Mutter, das Bild einer
der ausgeprägtesten Privatmythologien in der gegenwärtigen deutschen
Literatur nachzeichnen. Wir stützen uns dabei weitgehend auf Johann
Jakob Bachofens grundlegende Arbeit *Das Mutterrecht* [38], die zum erstenmal der Gestalt der Großen Mutter in den frühen Mythologien nachging
und ihre Rolle deutete. Bei aller gerechtfertigten Abneigung der modernen
Germanistik gegen den Versuch, Literatur mit Hilfe der archetypisieren-
den und psychologisierenden Mythenerhellung der Jung-Schule zu interpretieren, deren Vorläufer Bachofen war, ist eine solche Methode in
Huchels Fall durchaus legitim. *Das Mutterrecht*, 1861 in erster Auflage
erschienen, kam 1926 und 1927 bei Kröner und bei Beck in Auswahlaus-

---

[36] *Die Sternenreuse*, S. 30.
[37] Sabine Brandt, Huchels frühe Gedichte. In: *Der Monat* 19, 1967, Heft 227,
S. 67.
[38] 3. Aufl. hrsg. v. Karl Meuli u. a., Basel 1948.

gaben wieder heraus. Kurz vorher hatte Huchel zu schreiben begonnen. Bachofens Werk fand in jener ‚mythenhungrigen Zeit‘ [39] ein weites Publikum. Huchel selbst lernte, wie er dem Verfasser dieser Arbeit in einem persönlichen Gespräch bestätigt hat, Bachofen noch in der ersten Auflage schon als junger Mensch in seinem zweiten Studiensemester kennen. Der Einfluß dieser Lektüre machte sich, wie hier nachgewiesen werden soll, in Huchels Werk sofort bemerkbar und wurde von grundlegender Bedeutung für die Ausbildung seiner Privatmythologie und Bildersprache, eine Wirkung, die bis heute unvermindert anhält. Vereinfachend läßt sich sagen, daß Huchel die Vorstellung einer S i g n a t u r a R e r u m von Böhme bezog, die S i g n a aber von Bachofen übernahm. [40] Darin liegt der Schlüssel zu seinem Werk.

---

[39] Theodore Ziolkowski, „Der Hunger nach dem Mythos — Zur seelischen Gastronomie der Deutschen in den Zwanziger Jahren." In: *Die sogenannten Zwanziger Jahre.* First Wisconsin Workshop, hrsg. v. Reinhold Grimm und Jost Hermand, Bad Homburg v. d. H., Berlin, Zürich 1970, S. 169—201. Ziolkowski schreibt dort: „[...] in den Zwanziger Jahren dringt der Mythos als magisches Losungswort ins allgemeine Bewußtsein. Einerseits wendet sich fast jeder Zweig der Wissenschaft [...] mit einer euphorischen Entdeckungslust der Mythologie zu: so etwa die Tiefenpsychologie Jungs, die Völkerpsychologie Wilhelm Wundts, die entmythisierende Bibelforschung Bultmanns, die Anthropologie Malinowskis oder die Philosophie Ernst Cassirers. Dieses wissenschaftliche Interesse beförderte wiederum die Wiederentdeckung der mythologischen Schriften von Bachofen, Görres und Schelling, die sämtlich ab 1926 neu veröffentlicht werden" (S. 187).

[40] Vgl. dazu auch die Abbildung einer Seite der Osterbeilage der ‚Literarischen Welt‘ vom 3. April 1931, wo sich Huchels Gedicht *Der Osterhase* — im übrigen ein Auftragsgedicht, zu dem Huchel heute nicht mehr steht — direkt neben dem entsprechenden Auszug „Zur Symbolik des Ostereies" aus Bachofens *Versuch über die Gräbersymbolik der Alten* findet. Diese Seite enthält zugleich einen Hinweis auf das Werk Jakob Böhmes. — Von der Ähnlichkeit im Schöpfungsentwurf her, der antichristlichen Grundhaltung und der Mythisierung der Erde im Zeichen der Großen Mutter, erklärt sich auch zu einem gewissen Teil Huchels Verbundenheit mit Hans Henny Jahnn. Er sagte einmal rühmend von Jahnn, man müsse „bis auf die alten Ägypter und Griechen zurückgehen, um eine ähnlich mythische Erfassung der Natur zu finden." („Für Hans Henny Jahnn" — Aus einer Rede, gehalten am 18. Dezember 1959 in der Deutschen Akademie der Künste. In: *Hans Henny Jahnn — Buch der Freunde.* Hamburg-Wandsbek o. J., S. 52.) Huchel spricht da in eigener Sache. Bei Jahnn findet sich die Große Mutter vor allem in der Gestalt der Gemma in seiner Roman-Trilogie *Fluß ohne Ufer;* Hans Wolffheim schreibt von dieser Gestalt: „Gemma in ihrem Doppelaspekt als Todes- und Lebensrepräsentantin erscheint hier zugleich als moderne Repräsentantin der Großen Mutter [...]." („Geschlechtswelt und Geschlechtssymbolik in ‚Fluß ohne Ufer‘." In: *Hans Henny Jahnn — Der Tragiker der Schöpfung.* Frankfurt a. M. 1966, S. 93.) Wie Wolffheim mehrmals betont, geht auch Jahnn hier auf Bachofen zurück.

‚Unter der Wurzel der Distel‘
Die politische Schicht

Peter Huchel wurde 1962 zwangsweise als Chefredakteur der ostdeutschen literarischen Monatsschrift *Sinn und Form* abgesetzt und in
Wilhelmshorst bei Potsdam, bis zu seiner Ausreise im Mai 1971, praktisch
unter Hausarrest gestellt. Briefe aus dem Westen durfte er nicht erhalten
und den damals letzten Band seiner Gedichte, *Chausseen Chausseen*, in
der DDR nicht veröffentlichen. Zwischen 1963, dem Jahr seines Er-
scheinens im S. Fischer Verlag in Frankfurt, und Mai 1971 sind noch einmal vierzehn Gedichte in verschiedene westdeutsche Zeitungen und Zeit-
schriften gelangt, und zwar auf abenteuerlichen Wegen, die für Huchel
wie für die Verbindungsmänner, die ihm beim ‚Herüberschmuggeln‘[1] der
Manuskripte halfen, gleich gefährlich waren.

Immer wieder spricht er in ihnen vom Gejagtwerden, von der „Falle,
die uns im Dickicht der Jäger stellt"[2], von ‚Hinterhalt‘ und letzter Frist,
deren Ablauf schon angekündigt wird von den bedrohlichen Schatten, die
einer alles Leben tötenden, eisigen Dunkelheit vorauseilen. Diese Schatten
können die konkrete Form einer äußeren Bedrohung annehmen — „der
Spitzel wohnte gegenüber"[3] — wie in dieser Vision der Bewacher:

> Zwei Schatten,
> Rücken an Rücken,
> Zwei Sträucher,
> Zwei Männer warten vor deinem Haus.

schreibt er in einem Gedicht, das den Ablauf der Frist zum Thema hat:
Gezählte Tage, das er dann auch seinem letzten Band als Titelgedicht voranstellt. In anderen Gedichten können die Schatten auch Zeichen der
eigenen, inneren Angst sein, die sich zum Dämon erhebt:

---

[1] So Rudolf Hartung, der einige dieser Gedichte in der *Neuen Rundschau*
veröffentlichte, in einem Brief (26. 3. 1971) an den Verfasser dieser Arbeit.
[2] *Antwort*, zuerst in *Neue Deutsche Hefte* 117, 1968, S. 29. Jetzt in: *Gezählte
Tage*, S. 8.
[3] Peter Huchel in einem Interview „Gegen den Strom" in *Die Zeit*, Nr. 22,
2. Juni 1972, S. 13.

21

Ein Rauch, ein Schatten steht auf,
Geht durchs Zimmer.

(Die Engel)

Nun stellt sich hier die Frage: wo findet Huchel Zuflucht vor dieser
doppelten Bedrohung, der Bedrohung von außen, der „vor dem Haus"
und der von innen, der „im Zimmer" — die Gedichte stehen unmittelbar
nebeneinander[4]. Wo findet er Zuflucht, und wie überwindet er als Dichter
eine Lage, in der es ihm verwehrt ist, sich seines Mediums, der Sprache des
Gedichtes, offen zu bedienen?

Von Äußerungen zu Freunden, von Briefen oder Artikeln, in denen er
über dieses sein Problem spräche, ist uns nichts bekannt. Wir müssen uns,
auf der Suche nach einer Antwort, also ganz an die Evidenz seiner Gedichte halten. Einen guten Einstieg bietet das bekannte *Unter der Wurzel
der Distel.*

Unter der Wurzel der Distel

Unter der Wurzel der Distel
Wohnt nun die Sprache,
Nicht abgewandt,
Im steinigen Grund.
Ein Riegel fürs Feuer
War sie immer.

Leg deine Hand
Auf diesen Felsen.
Es zittert das starre
Geäst der Metalle.
Ausgeräumt ist aber
Der Sommer,
Verstrichen die Frist.
Es stellen
Die Schatten im Unterholz
Ihr Fangnetz auf.[5]

Das Gedicht wurde 1962 geschrieben, als das Publikationsverbot an
Huchel erging. Wir sind berechtigt, die bereits vertrauten Bilder — das
Verstreichen der Frist, die Schatten, die das Fangnetz aufstellen — auf

---

[4] In *Neue Deutsche Hefte* op. cit. S. 30 f., wo sie zuerst veröffentlicht wurden.
Jetzt in: *Gezählte Tage*, S. 21, wo die Zeile „Zwei Männer warten vor deinem
Haus", das Biographische abschwächend, in „zwei Männer warten im frostigen
Gras" umgewandelt wurde; *Die Engel* ibid S. 63.
[5] *Chausseen Chausseen*, S. 83.

diese seine konkrete Situation zu beziehen. Denn er spricht von der
Sprache, die ihm verboten wurde: sie wohnt nun „unter der Wurzel der
Distel", d. h. sie muß sich vor Roheit und Unverständnis verstecken und
deren Zugriff abwehren. So ist von Abwehr — im Bilde der Distel —
auch die Rede in dem Gedicht über den griechischen Dichter *Alkaios,*
dessen Schicksal, die Flucht vor den Tyrannen, Huchel als Analogon heranzieht:

> Noch wehrt
> Sich der Tag mit seinen Disteln
> Gegen den eisigen
> Anschlag der Nacht.[6]

Aber nicht nur Abwehr umschreibt die Distel, sondern auch die Schwie-
rigkeit der Verständlichmachung „im steinigen Grund", das Sprachproblem in einer Zeit der Dürre und Unfruchtbarkeit, wo die Kommunikation
gewaltsam gestört wird. Dies ist nur sehr bedingt das Hofmannsthalsche
Sprachproblem des Chandos Briefes — für Huchel bleibt, wenn auch nur
unter großer Anstrengung — „mit einer Distel im Mund", wie es einmal
heißt — die Welt noch sagbar, so wie er hier schreibt: die Sprache ist
„nicht abgewandt / Im steinigen Grund". Allerdings ist dies eine besondere Sprache. Wir lesen:

> Ich ging durch den Steinschlag
> Roher Worte
> Und an den Feuergruben vorbei.
> Ich ging zu den Stimmen,
> Die sie nicht hören.
> [...]
> Hier liegt einer,
> Der wollte noch singen
> Mit einer Distel im Mund.
> [...]
> Zerschmetterter Mund,
> Du leuchtest die Finsternis an.[7]

Huchel unterscheidet hier zwei Arten des Sprechens: da ist der „Steinschlag roher Worte" — A. Kantorowicz bringt diese Zeile in Verbindung
mit den schweren Angriffen, denen Huchel in den letzten Monaten als

---

6 *Gezählte Tage,* S. 77.
7 *Chausseen Chausseen,* S. 73 f.

Chefredakteur von *Sinn und Form* ausgesetzt war[8] —, diese Sprache kann er nicht sprechen, die Sprache des Alltags, der Polemik in *Neues Deutschland*, oder auch die des sich laut als politisch gebärdenden Gedichtes, das er einmal als ‚gußeiserne Lerche, die nicht fliegen kann‘, bezeichnet hat.[9] Diese Sprache unterscheidet er von jener anderen, der fast stummen des zerschmetternden Mundes, „die sie nicht hören", eine Sprache, nur wenigen Eingeweihten verständlich — Kantorowicz nennt sie ‚äsopisch‘[10] —, hinter der er sich verstecken kann:

> Ein Riegel fürs Feuer
> War sie immer.

Wo aber ein Anschlag der Finsternis nicht droht, wo das Licht, das aus dem zerschmetterten Mund leuchtet, zur beglückenden Helle geworden ist und der freie Flug des singenden Vogels nicht gehemmt wird, kann die ‚Distel‘ für einen Augenblick vergessen werden, kann „die Meeresstille der Gedanken" sich entfalten, und das Bild der südlichen Landschaft tritt ein — in einem Gedicht, das bezeichnenderweise dem gewidmet ist, der ihm die Dichtersprache als Kommunikation ermöglicht: seinem Verleger im Westen.

> Mittag in Succhivo
> Für Gottfried Bermann Fischer
> Es ist Mittag
> Und wieder die Stimme
> Hinter den Felsen:
> Nicht stoße der Fuß
> An den dünnen Schatten
> Der Distel.
>
> Es ist Mittag
> Die Gärten hinab —
> Er heftet helle Fäden
> Ins staubige Grau der Oliven.
> Er wird die Drossel
> Nicht fangen.
> [...]

---

[8] A. Kantorowicz, Das beredte Schweigen des Dichters Peter Huchel. In: *Das Einhorn*. Jahrbuch Freie Akademie der Künste in Hamburg 1968, S. 175.

[9] Antwort auf den offenen Brief eines westdeutschen Schriftstellers. In: *Neue Deutsche Literatur* 1, Heft 9, 1953, S. 90.

[10] op. cit. S. 172.

Die Küstenstraße. Härter
Hebt sich das Licht in die Stunde.
Das felsige Riff,
Das Haupt der Öde.
Es ist Mittag.
Die Meeresstille der Gedanken.[11]

Was ist das nun für eine Sprache, „die sie nicht hören", die Unbefugten den Eintritt verriegelt? In dem 1970 veröffentlichten und Heinrich Böll gewidmeten Gedicht *Gehölz* schreibt Huchel:

Wasser,
Verborgen,
In sandiger Öde,
Du strömtest in den Durst der Sprache,
Du zogst die Blitze an.

Am Eingang der Erde,
Sagt eine Stimme, wo Steine
Und Wurzeln die Tür verriegeln,
Sind die zerwühlten Knochen Hiobs
Zu Sand geworden, dort steht noch
Sein Napf voll Regenwasser.[12]

Ein Bild der Dürre und Unfruchtbarkeit, das an den „steinigen Grund" unseres ersten Gedichtes erinnert — wiederum befinden wir uns versteckt unter der den Zugang verriegelnden Wurzel in Gesellschaft mit der Sprache, die ums Überleben kämpft: sie dürstet.[13] Aber hier wird nun

---

11 *Gezählte Tage*, S. 17.
12 *Die Neue Rundschau*, op. cit. S. 236. Jetzt in *Gezählte Tage*, S. 75.
13 In den späteren Gedichten verwendet Huchel „Durst" und „Wasser" in zunehmendem Maße als Zeichen für Sprachnot und Sagbarkeit. In *Odysseus und die Circe* scheint Huchel ausdrücken zu wollen, daß er — und gemeint ist wohl auch der Dichter schlechthin — geradezu erst unter der Bedingung des „Steinschlags" seine eigene, die Dichtersprache finden kann:

Mit einem Topf,
von Feuer berußt,
das reine Wasser aus dem Bach
zu schöpfen
ist eine Kunst.
[...]

Ich lag in der Hitze
verbrannten Grases,
den Gaumen trocken,
[...]

deutlich, wo Huchel sie ansiedeln will: im Spiegelbild derer, die, den Archetyp begründend, die Situationen vorgelebt haben, die Huchel bedrängen. Versteckt hinter deren Maske, im Sinne von „persona", d. i. Durchtönen, wird die Gegenwart sagbar. Der Durst der Sprache wird aus Hiobs Wassernapf gestillt. So gelangt Huchel, auf dem Wege „zu den Stimmen, die sie nicht hören", zu einem uneigentlichen Sprechen, durch das das eigentliche der gemeinten Situation nur noch ‚durchtönt‘, wie es in einem, im Januar 1972 veröffentlichten Gedicht, *Pe-Lo-Thien*[14], geschieht, wo Huchel ausdrücklich von den „Masken" spricht, die sich zu ihm gesellen, und, hinter der persona des chinesischen Lyrikers, verhüllt auf den „Verfemten" weist, der hinter der durch den Kontext implizierten Chinesischen, aber eigentlich gemeinten Berliner Mauer lebt. Pe-Lo-Thien verbrachte sechs Jahre in der Verbannung. Das Gedicht weist ausdrücklich auf *Gehölz* zurück:

Pe-Lo-Thien

Laß mich bleiben
im weißen Gehölz,
Verwalter des Windes
und der Wolken. Erhell
Die Gedanken einsamer Felsen.

Aus eisigen Wassern
tauchen die Tage auf,
störrisch und blind.
Mit geschundenen Masken
suchen sie frierend
das dünne Reisigfeuer
des Verfemten,

Wenn du im Herzen
die Wahrheit bewegst,
die List,
die Lüge bewegst,
erschlagen dich die Steine.

Eingeklemmt
in narbigen Fels,
[. . .]
schmeckte ich die grillige Stimme
und sah im Dunst des Steinschlags
die Augen einer Quelle.

(*Gezählte Tage*, S. 48—49)

[14] Chinesischer Lyriker (722—846), besser bekannt unter dem Namen Po Kü-i

der hinter der Mauer lebt
mit seinen Kranichen und Katzen.[15]

Nun ist die Technik des Zitierens von Parallelsituationen mit verschiedenen Intentionen schon in der Antike verwandt worden. Wir
könnten, mit Bruno Snell, auf die nachepische griechische Lyrik aufmerksam machen, die sich des Verweisens auf die Epik Homers und auf die
Mythologie bediente, um ihre Gegenwart über das hic et nunc empor-
zuheben und dem Augenblick Dauer zu verleihen[16]. Dies will, mutatis
mutandis, jeder Lyriker. Konkreter ist Walter Jens, wenn er, auf die
Gegenwart bezogen und an dem Beispiel eines Gedichtes von Huchel,
Weihnacht 1942, von der „Beschwörung eines mythischen Archetypus"
spricht, als eines Mittels, dessen sich gerade die Moderne bedient, um der
„ungeheuer schattenlosen Gegenwart [...] Umgrenzung und Konturen"
zu geben.[17] Sabine Brandt wiederum erkennt diese Technik speziell als
Charakteristikum der DDR-Literatur, als eine Möglichkeit der Chiffrierung.[18]

Verleihung der Dauer, Sichtbarmachung im Spiegelbild, aber auch, wie
wir zeigen wollen, vor allem die Möglichkeit des Chiffrierens, des Versteckens — dies sind die drei wichtigsten Funktionen, die Huchel dem
Wühlen in den Knochen Hiobs gibt; sie sind in allen in Frage kommenden
Gedichten präsent. Zum letzten, der Funktion des Versteckens paßt es,
daß Huchel erst gegen Ende der fünfziger Jahre beginnt, seine Gedichte
in immer zunehmendem Maße im antiken, südlichen, geschichtlichen und
biblischen Raum anzusiedeln. Diese Wende ist bisher kaum von der Kritik
gewürdigt worden und hat, von kurzen Bemerkungen abgesehen, nur zur
Interpretation zweier Gedichte gereizt. Es sind dies die genannten Arbeiten von Hans Mayer und Peter Hutchinson. Auch John Flores befaßt
sich ausführlich nur mit dem von Mayer und Hutchinson behandelten
Gedicht *Der Garten des Theophrast* und erledigt im übrigen den gesamten
Komplex mit den Worten:

> By his technique of historical and literary allusion Huchel is also seeking
> to express his conscious connection with the European cultural tradition,
> though he does not directly identify with and place faith in the teachings
> of Christianity, much less the Golden Age of classical antiquity. [...]
> strictly through the power of poetic evocation and reminiscence, Huchel

---

[15] *Gezählte Tage*, S. 85.
[16] *Die Entdeckung des Geistes*. Hamburg 1955, S. 85.
[17] *Deutsche Literatur der Gegenwart*. München 1964, S. 90.
[18] op. cit. S. 68.

believes himself able to preserve contact with the great humanistic cultures of the past. The tradition, then, is not a place of refuge for Huchel, as it has become for some DDR writers, but a point of reference that provides his lonely plaint with deeper significance.[19]

So richtig dies ist, bleibt es doch nur ein Hinweis. Allerdings hat Huchel eine größere Anzahl von Gedichten, in denen diese Technik im Vordergrund steht, erst nach dem Abschluß von Flores' Manuskript veröffentlicht.

So wollen wir nun hier — nachdem wir unsere einleitende Frage nach den Mitteln der Überwindung von Huchels Sprachschwierigkeit angesichts des ,Steinschlags roher Worte' zu beantworten versucht haben, einige Interpretationen folgen lassen, die jeweils einen der Vorbildräume, den antiken südlichen, den geschichtlichen und den biblischen anleuchten sollen. Wenn wir deren Gestalten alle gleichermaßen unter dem Stichwort m y t h o l o g i s c h e Masken subsumieren, sind wir uns bewußt, daß uns Anthropologen, Psychoanalytiker und Theologen mit jeweils anderen Argumenten widersprechen könnten. Betrachten wir sie aber unter ihrem literatur-ästhetischen Aspekt, so leistet uns Walter Jens eine Hilfestellung, wenn er in e i n e m Zusammenhang von der Erhebung der Gegenwart „auf die Gleichnisstufe des Zitats", der „Beschwörung eines m y t h i s c h e n Archetypus" und den „g e s c h i c h t l i c h e n Analogien"[20] spricht und als Beispiel dann ein Gedicht Huchels anführt, in dem die Analogie eine b i b l i s c h e ist. Um diese Einleitung mit den Worten Elisabeth Frenzels abzuschließen, die die Funktionen jener Technik, so wie sie uns auch in Huchels Werk begegnen, noch einmal zusammenfassen sollen:

> Jedes Zeitalter schafft sich [...] seine eigene M y t h o l o g i e, d. h. es erhöht gewisse überlieferte Gestalten aus dem großen Stoffreservoir von S a g e und G e s c h i c h t e über ihre einmalige Bedeutung hinaus zu Symbolen der eigenen Existenz oder der selbsterfahrenen Schicksalsmächte [...]. Dieses äußerste und sicherste Mittel eines Dichters, durch Rückführung eines Stoffes auf sein Kernmotiv dessen aktuelle Bezüge freizulegen, ist eine konsequente Form der Aktualisierung. Umgekehrt sind aktuelle Fragen aus Gründen der künstlerischen Distanzierung oder der politischen Vorsicht in das Gewand altbekannter und somit dämpfender Stoffe gekleidet worden.[21]

Wir beginnen mit dem zuerst genannten Vorbildraum, dem antiken südlichen. Als erstes Gedicht, das Huchel in diesem Raum ansieht, begegnet uns *Elegie*. Es steht, in der Sammlung *Chausseen Chausseen*, an hervorragender Stelle. Als drittes in einem Zyklus von dreizehn Gedichten leitet

---

[19] op. cit. S. 201.
[20] loc. cit. — Hervorhebungen vom Autor.
[21] *Stoff-, Motiv- und Symbolforschung*. Stuttgart 1966[2], S. 70 und 73.

es die zehn südlichen Gedichte ein, die den größten Teil dieses ersten Zyklus des Bandes ausmachen. Die ersten beiden ‚nordischen' Gedichte, *Das Zeichen* und *Landschaft hinter Warschau* sind, wie sich gleich zeigen wird, mit den anderen durch das Thema verbunden.

Elegie

Es ist deine Stunde,
Mann auf Chios,
Sie naht über Felsen
Und legt dir Feuer ans Herz.
Die Abendbrise mäht
Die Schatten der Pinien.

Dein Auge ist blind.
Aber im Schrei der Möwe
Siehst du metallen schimmern das Meer,
Das Meer mit der schwarzen Haut des Delphins,
Den harten Ruderschlag des Winds
Dicht vor der Küste.

Hinab den Pfad,
Wo an der Distel
Das Ziegenhaar weht.
Siebensaitig tönt die Kithara
Im Sirren der Telegraphendrähte.
Bekränzt von welligen Ziegeln
Blieb eine Mauer.
Das Tongefäß zerbrach,
In dem versiegelt
Der Kaufbrief des Lebens lag.

Felshohe Gischt,
Felsleckende Brandung,
Das Meer mit der Haut des Katzenhais.
Am Kap einer Wolke
Und in der Dünung des Himmels schwimmend,
Weiß vom Salz
Verschollener Wogen
Des Mondes Feuerschiff.
Es leuchtet der Fahrt nach Ios,
Wo am Gestade
Die Knaben warten
Mit leeren Netzen
Und Läusen im Haar.[22]

---

[22] *Chausseen Chausseen*, S. 12.

Auch die *Elegie* ist ein Gedicht über den Dichter und seine Sprache. Der Mann auf Chios ist natürlich der blinde Homer, der, der glaubwürdigsten Tradition zufolge, auf Chios geboren wurde und auf Ios starb. Es ist die Stunde der Einschiffung nach Ios bei Einbruch der Dunkelheit, also die Fahrt in den Tod.

Die Beziehung zur Gegenwart wird nur mit einem Wort hergestellt: „Telegraphendrähte", oder, umgekehrt gesagt, nur durch dieses eine Wort erfahren wir, daß es sich bei diesem Gedicht um die mythische Erhöhung einer gegenwärtigen Situation handelt — nämlich des bedrohlichen Einfalls der ,Dunkelheit', des Anbruchs eines Zeitalters der Toten, von dem fast alle Gedichte dieses Zyklus sprechen. Wir nannten *Das Zeichen* — dort heißt es:

> Nur die Toten,
> Entrückt dem stündlichen Hall
> Der Glocke, dem Wachsen des Epheus,
> Sie sehen
> Den eisigen Schatten der Erde
> Gleiten über den Mond.[23]

Desgleichen in *Landschaft hinter Warschau:*

> Schnell wird es dunkel.
> Flacher als ein Hundegaumen
> Ist dann der Himmel gewölbt.
> Ein Hügel raucht,
> Als säßen dort noch immer
> Die Jäger am nassen Winterfeuer.[24]

Oder in einem auf die *Elegie* folgenden Gedicht, *Verona:*

> Die Erde schenkt uns keine Zeit
> Über den Tod hinaus.
> Ins Gewebe der Nacht genäht
> Versinken die Stimmen
> Unauffindbar.[25]

Auffallend ist bei der *Elegie*, daß auch dort der Dichter, der „den Pfad hinab" in die Dunkelheit[26] zu gehen gezwungen ist, die ,Distel' findet,

---

[23] *Chausseen Chausseen*, S. 9.
[24] ibid. S. 11.
[25] ibid. S. 15.
[26] Die Gegensatzpaare: Licht—Dunkel, Tag—Nacht, Sommer—Winter sind die hervorragendsten Bestandteile von Huchels Symbolsprache. Sie liegen 42 der 49 Gedichte des Bandes zugrunde.

und zwar wieder im Zusammenhang mit der Sprache, denn an der Distel
weht das Ziegenhaar. Aus Ziegenhaar aber war der Pinsel des Malers
gemacht, den Huchel in *Wei Dun und die alten Meister* sagen läßt: „Ich
wusch die Pinsel aus Ziegenhaar"[27] — eine adäquate Chiffre nicht nur
für die Epik Homers, sondern für das Dichterwort schlechthin. Vielleicht
will Huchel damit einen Hinweis geben, daß Homer, den er so bezeichnend an den Anfang seiner antiken Gedichte gestellt hat, ihm die „Distel"
mit dem „Ziegenhaar", d. h. die Ausdrucksmöglichkeit hinter der mythologischen Maske, in die Hand gegeben hat. Dann wäre auch dieser Zyklus
nicht zufällig mit einem fast hermetischen Rollengedicht abgeschlossen,
das eine Episode aus der Odyssee zum Thema hat, nämlich die Strandung
des Odysseus am Phäakenland und die Begegnung mit Nausikaa: *Hinter
den weißen Netzen des Mittags.*

Aber die Bedeutung, die Homer in diesem Gedicht für Huchel hat,
erschöpft sich nicht in den beiden genannten Funktionen des Mythen-
spenders und der die Gegenwart erhöhenden Vorbildsituation, der Reise
in die Dunkelheit und den Tod. Da ist das alte Motiv des blinden Sehers:

> Dein Auge ist blind.
> Aber im Schrei der Möwe
> Siehst du metallen schimmern das Meer.

Unüberhörbar ist die Assoziation zu dem Ausspruch Augustins, den
Huchel als Motto seinem Band voranstellt: „[...] im großen Hof meines
Gedächtnisses. Daselbst sind mir Himmel, Erde und Meer gegenwärtig."
In beiden Fällen handelt es sich um ein Sehen im Geiste, dem einzigen,
das Huchel in seinem Haus in Wilhelmshorst noch erlaubt war — ein
Sehen aber auch im prophetischen Sinne, das er hier schon andeutet, ehe
er in manchen späteren Gedichten ganz hinter die Maske des alttestamen-
tarischen Propheten schlüpft.

So nimmt es nicht wunder, daß auch diese *Elegie* schon eine metaphy-
sische Ebene miteinbezieht, denn im letzten Drittel des Gedichtes erfährt
die Doppelbödigkeit: mythische Vergangenheit — mythisierte Gegenwart,
noch eine weitere Aufgabelung. In einer Reihe von surrealistischen Geni-
tivmetaphern wird die Seelandschaft in eine kosmische Landschaft ver-
wandelt, so daß die Reise sowohl über das Meer als auch in den Nachthimmel führt:

> Am Kap einer Wolke
> Und in der Dünung des Himmels schwimmend,

---

[27] *Chausseen Chausseen*, S. 34.

Weiß vom Salz
Verschollener Wogen
des Mondes Feuerschiff.
Es leuchtet der Fahrt nach Ios.

Homers Fahrt nach Ios erweist sich in diesen Zeilen noch einmal als Totenreise, an deren Ende nicht Hoffnung und Erlösung stehen, sondern „die Knaben mit leeren Netzen und Läusen im Haar“, eine Chiffre für Verarmung, Leere und Häßlichkeit, wie bei Huchel auch andere Gedichte der Trauer ähnlich abschließen.[28]

Die Bindung an das kosmische Geschehen, an Tod und an eine als ‚leer‘ und abweisend geschilderte Transzendenz vertiefen die Verzweiflung vollends, da sie sie menschlicher Beeinflussung entzieht und zur Unausweichlichkeit werden läßt. So vereinigt sich die mythologisch-geschichtliche Parallelsituation mit der kosmisch-mythisierenden Metapher auf einer neuen, die Gegenwart überhöhenden Ebene, auf der sie Privatmythologie wird. — Huchel hat ausdrücklich gerade dieses Gedicht als Elegie bezeichnet, obwohl in fast allen Gedichten des Bandes *Chausseen Chausseen* die Verzweiflung den elegischen Grundton schafft. Grund dafür mag sein, daß hier die Reise in die Dunkelheit am Sterben des Dichters dargestellt ist, der Terminus ‚Elegie‘ daher über die allgemeine Bedeutung des Traurigen, Wehmütigen hinaus auch im spezifischen Sinne als Sterbeklage gebraucht wird. Ingo Seidler hat auf das häufige Vorkommen des elegischen Adonius (/XX/X) im Spätwerk Huchels aufmerksam gemacht[29]; er ist in diesem Gedicht besonders auffällig: (Es) ist deine Stunde — (Sie) naht über Felsen — (Die) Schatten der Pinien — Dicht vor der Küste — (Am) Kap einer Wolke — (Ver)schollener Wogen.

---

[28] Vgl. *Das Zeichen:* Erstarrt
Im Schweigen
des Schnees,
Schlief blind
Das Kreuzotterndickicht.
(*Chausseen Chausseen*, S. 10)
Die Gaukler sind fort:
In morscher Kammer des Baums
Schlafen die Fledermäuse,
Drachenhäutig.
Die hochberühmten Gaukler sind fort.
(*Gezählte Tage*, S. 12)
[29] Seidler, op. cit. S. 24.

Wesentlich komplizierter ist das Walter Jens gewidmete Gedicht *Südliche Insel*, das neunte des Zyklus und das zweite, das in größerem Umfang auf Mythologisches Bezug nimmt.

Südliche Insel
für Walter Jens

Felsrunde Insel,
Schildkröteninsel,
Vulkanisch atmet der rissige Stein,
Wo unter den Quellen
Die Erde ihr düstres Feuer schürt.

Agaven heben die Lanzen,
Drücken den Essigschwamm
An den dürstenden Mund des Himmels.

Öde Piazza.
Der Mittag schlägt
Mit dem Zirkel der Sonne
den heißen Kreis.
Auf flachem Dach,
Der Tenne des Regens,
Dörren Feige und Traube.
Die Zisternen sind leer.
Wann ankert das schwarze Wasserschiff?

Durch die dämmernde Brandung
Stemmen Fischer ihr Boot.
Glasig,
Zwischen den Steinen,
Des Meeres Meduse.
Es glänzt, armer Zyklop,
Dein ausgepfähltes Aug.

Du siehst nicht mehr
Das Schwanken der Lampe
Unter dem Karren,
Den Pflugbaum
Aus flimmernden Sternen,
Der über der Insel steht.[30]

Was das Verständnis dieses Gedichtes erschwert, ist die Tatsache, daß hier mehrere ganz verschiedene mythologische Bereiche zusammenkommen, deren gemeinsamer Nenner — Hitze, Trockenheit — auf der Ebene des rein Bildlichen zwar einsichtig wird, sich aber der weiteren Aus-

---

[30] Chausseen Chausseen, S. 19.

deutung nur erschließt, wenn auch entlegenere Anspielungen berücksichtigt werden. Dies ist aber bei Huchel häufig zu beobachten.

Am augenfälligsten ist der Bezug zu Homer. Im neunten Buch der Odyssee werden die Kyklopen als ein menschenfressendes, unzivilisiertes Volk beschrieben, das keinen Ackerbau kennt, da die Natur sie ohne ihr Zutun reichlich mit Getreide und Reben versorgt. Odysseus blendet den ungastlichen Polyphem. Wesentlich anders ist die Vergilische und Horazische Tradition. Dort leben die Kyklopen als Schmiede in den Vulkanen der liparischen (äolischen) Inseln, im Ätna und auf Lemnos und schmieden den Göttern die Waffen. Huchel verschmilzt nun hier beide Traditionen, aber erst durch das tertium comparationis der Sonne wird der Zusammenhang in diesem Gedicht einsichtig. Die Sonne wurde von den antiken Schmieden als Spenderin des Schmiedefeuers verehrt, und als Sonnensymbol, so nimmt Ranke-Graves an [31], tätowierten sie sich konzentrische Ringe auf die Stirn, die das Aussehen eines Auges hatten — ‚kyklops‘ heißt ja ‚rundäugig‘, ‚ringäugig‘. Weiter schreibt Ranke-Graves: „Konzentrische Ringe sind auch ein Teil des Geheimnisses der Schmiedekunst: Um Schüsseln, Helme oder rituelle Masken auszuklopfen, behalf sich der Schmied mit solchen Kreisen, die er mit einem Zirkel um den Mittelpunkt der Scheibe, an der er arbeitete, zog.“

Diese auch dem Gedicht zugrunde liegende Vorstellung schafft die Konsistenz der Bildersprache. Am Anfang steht die kreisförmige Vulkaninsel, im Mittelteil ist es die Sonne, die „mit dem Zirkel“ „den heißen Kreis“ schlägt, und am Ende geschieht die Pfählung des Ringauges, des Kyklopen. Deutlich ergibt sich aus dem Ablauf der Tageszeiten im Gedicht — vom „Mittag“ auf der öden Piazza über die „dämmernde Brandung“ zu den „flimmernden Sternen“ —, daß das Auge des Kyklopen auch hier als Sonnensymbol verwendet wird. Wir haben es also wiederum mit dem Einbruch der Dunkelheit zu tun, wobei die Pfählung des ‚Auges‘ durch Odysseus und seine Gesellen — die in der Dämmerung landenden Fischer — als Äquivalent des Erlöschens der Sonne erscheint.

Aber die Blendung des Polyphem steht nicht allein für die uns in Huchels Gedichten nun schon vertraute Dunkelheit. In der ursprünglich in *Sinn und Form* veröffentlichten Fassung hießen die letzten Zeilen:

> Du siehst nicht mehr
> Das Schwanken der Lampe
> Unter dem Karren d e s B a u e r n.

---

[31] R. von Ranke-Graves, *Griechische Mythologie,* Quellen und Deutung. Hamburg 1968⁵, Bd. I, S. 27.

Durch den Zusatz „des Bauern" tritt eine ganz andere Bezugsebene in den Vordergrund, die in der endgültigen Fassung nur angedeutet ist.[32] Wie schon erwähnt, wurden die homerischen Kyklopen, ohne Ackerbau treiben zu müssen, von der Natur ernährt. Nun weisen M. Horckheimer und Th. W. Adorno in einem von Huchel in *Sinn und Form* veröffentlichten Artikel[33] gerade auf diesen paradiesischen Aspekt des Lebens der Kyklopen hin und zitieren dazu die folgende Stelle aus der Odyssee:

> [...] der Macht unsterblicher Götter vertrauend
> Nirgend bauen mit Händen zu Pflanzungen oder zu Feldfrucht,
> Sondern ohn' Anpflanzer und Ackerer steigt das Gewächs auf.
> Weizen sowohl und Gerst', als edele Reben, belastet
> Mit großtraubigem Wein, und Kronions Regen ernährt ihn.

So steht als Kontrast zu einer mühelosen, paradiesischen Existenz der Karren des Bauern mit der schwankenden Lampe für ein Zeitalter mühseliger Arbeit, in dem nach dem Erlöschen der Fülle des Lichts nur noch das Lämpchen des arbeitenden Menschen und das Licht der Sterne einen schwachen Schein werfen. Aber dieser schwache Schein reicht aus, um das Gedicht auf eine Note der Hoffnung enden zu lassen. Die Sterne, die bei Huchel, wo sie nicht eisige Kälte andeuten, oft Zeichen der Hoffnung sind[34], erscheinen als Pflugbaum, d. h. die bisher unbearbeitete Erde wird von ihnen für die Saat vorbereitet, die alte Scholle wird umgebrochen. Auch kommt endlich die Kühlung, nach der der „rissige Stein" und die „öde Piazza" verlangten.

Es ist möglich, daß Huchel bei dem Pflugbaum der Sterne an die Sternbilder des Bootes und des Großen Bären gedacht hat. Beide werden im fünften Buch der Odyssee genannt. In der griechischen mythologisierenden Astronomie wurden die sieben Sterne des Großen Bären als Pflugochsen gedeutet, die von dem Sternbild des Bootes, d. h. ‚Ochsentreiber‘, gelenkt werden. Dies aktualisiert noch einmal den Kontrast Bauer—Sammler: der geblendete Kyklop sieht diese Sternbilder nicht. Daß eine solche Deutung

---

[32] Walter Jens hat beklagt, daß Huchels Kürzungen manchmal „nahe an den Rand des Sinns" gehen. Walter Jens, *Wo die Dunkelheit endet, Zu Gedichten von Peter Huchel. Die Zeit*, Nr. 49, 1963, S. 17.

[33] Jahrgang I, 4. Heft, S. 165 f.

[34] Vgl. auch *In Memoriam Paul Eluard:*
Freiheit mein Stern
[...]
Ich weiß, mein Stern,
Dein Licht ist unterwegs.
(*Chausseen Chausseen*, S. 79)

durchaus in Huchels Sinne ist, beweist ein anderes Gedicht, in dem er
ausdrücklich vom „Sternbild des Hercules" spricht, der die „Kettenegge
der Sterne" den nördlichen Nachthimmel heraufschleppt.[35] Von diesem
Gedicht wird in anderem Zusammenhang noch zu sprechen sein.

Ein ganz erstaunliches Gegenstück zur gedanklichen Entwicklung des
Gedichtes *Südliche Insel* bieten die letzten hymnischen Abschnitte des von
Huchel 1950 in Auszügen veröffentlichten Zyklus *Das Gesetz*. Die auf-
fallendsten Parallelen seien hier zitiert:

> Nicht mehr ein Sommer
> schwarz im Halm
> und dürr und räudig wie ein Hund,
> der an der Kette blieb, als alles floh —
> [...]
>
> Septemberabend,
> Milchkannenwaschen
> und Futterstampfen [...]
> Aus grauem Brunnen quillt Dämmerung.
> Ein Arm schwenkt langsam eine Stallaterne,
> im steigenden Staub die Herde zu leiten,
> die feueräugig in die Nacht der Ställe zieht.
> [...]
>
> O Sterne, Gedanken,
> Anzündung des Morschen,
> Blinkfeuer der Nacht,
> groß sinkend und still
> über der letzten Fläche
> des Sturms — doch euer Licht,
> das Steine und Knochen durchweht,
> bahnt wie mit Beilen den Weg
> durchs harte Gestrüpp der Zeit [...]
>
> Dezemberrissiger Acker,
> auftauende Erde im März,
> Mühsal und Gnade trägt der Mensch.[36]

Der künstlerisch schwache und schiefe Vergleich der Sterne mit Beilen,
die sich den Weg durchs „harte Gestrüpp der Zeit" bahnen — Holthusen

---

[35] *Unterm Sternbild des Hercules, Gezählte Tage*, S. 9.
[36] *Sinn und Form*, 2. Jahrgang, 1950, 4. Heft, S. 134 ff.

würde diese Genitivmetapher verabscheuen[37] —, hat dem soviel aus-
drucksstärkeren und konzentrierteren „Pflugbaum der Sterne" Platz gemacht — Mühsal und Gnade, Abstrakta in *Das Gesetz*, werden evoziert
in dem langsamen und unsteten Gang des Karrens, unter dem aber doch
eine Lampe schwankt und über dem die Sterne ihr Licht spenden.

Damit erschließt sich nun auch der dritte mythologische Bereich, den wir
bisher absichtlich außer acht gelassen haben: die Anspielungen auf den
Opfertod Christi in den Zeilen:

> Agaven heben die Lanzen,
> Drücken den Essigschwamm
> An den dürstenden Mund des Himmels.

Sie erweisen sich nun nicht nur als Evokation der Ungeheuerlichkeit
von Hitze und Trockenheit, sondern weisen auf den größeren Zusammenhang von Gnade und Erlösung, die den Verlust des paradiesischen Zustandes überwinden. Dies ist allerdings nicht in einem traditionell religiösen Sinne gemeint. Huchel ist, die Anti-Weihnachtsgeschichte bewies es
schon, kein Christ.[38] Er sagt ja selbst: „Die Erde schenkt uns keine Zeit
über den Tod hinaus"[39], und bei der *Elegie* haben wir ebenfalls feststellen müssen, daß die Reise in den Tod nicht in die Erlösung im Tran-
szendentalen führt. Wie sich in seinen Gedichten immer wieder zeigt,
leben die Toten bei Huchel nicht in Paradies oder Hölle, sondern in einem
unbestimmbaren Zwischenreich, das dem antiken Hades ähnelt; so schrieb
er auch an einem — unveröffentlichten — Hymnus an Persephone.[40]
Wenn daher explizite in *Das Gesetz* und implizite in *Südliche Insel* von
Gnade gesprochen wird, so meint Huchel damit einen Zustand, der das
Leben auf dieser Erde erträglich macht: das Auftauen der Erde im März,
die kleine Lampe, die unter dem Karren schwankt.

---

[37] Vgl. H. E. Holthusen zum Mißbrauch der Genitivmetapher, besonders in
Verbindung mit ‚Zeit', in dem Beitrag „Vollkommen sinnliche Rede" in: *Mein
Gedicht ist mein Messer*. Hrsg. von Hans Bender, München 1969, S. 52. Vgl.
auch besonders Holthusens Kritik in der *Frankfurter Allgemeinen Zeitung* vom
29. 2. 64, wo er Huchels ‚unmäßigen' Gebrauch „jener Sorte von Genitivmeta-
phern, die mehr gefingert als gedichtet" sind, tadelt.
[38] „Huchel ist — trotz dieser oder jener Überschrift, Zeile oder Metapher,
die an die Terminologie der Kirche erinnert — kein christlicher Dichter geworden." Hans-Jürgen Heise, op. cit. S. 109. Vgl. auch Flores op. cit. S. 200.
[39] *Verona, Chausseen Chausseen*, S. 15.
[40] Erwähnt bei Walter Jens, *Die Götter sind sterblich*. Pfullingen 1959, S. 148.
Siehe das dieser Arbeit vorangestellte Zitat aus diesem Buch.

Wie prekär aber ein solcher Zustand ist, erhellt aus dem letzten ‚homerischen‘ Gedicht, *Hinter den weißen Netzen des Mittags,* das auch diesen Zyklus abschließt.

Hinter den weißen Netzen des Mittags

Nicht kamst du von den vier Quellen,
Die einst ein Schicksal umflossen.
Doch hinter den weißen Netzen des Mittags
Warst du der Schatten der Nymphe
Mit meerkühlen Augen,
Ein Sternbild auf der Hüfte,
In keiner Himmelskarte zu finden.

Die Sterne verlöschen.
Nicht zähle die Jahre, zähle die Stunden.
Du schrittest unter Felsen den Weg.
Es wehten die weißen Netze des Mittags.

Unrast der Ferne,
Sinkender Himmelsstrich.
Das Licht vor der Küste
Zersplittert am Wind.
Und immer noch
Die rauhe Klage, erstickt
Im salzigen Rauch der Felsen:

Ich schwamm vor der Brandung
Und sah die Insel.
Da riß mich hinab
Der eisige Sog,
Mich schleudernd
Durch Feuer mitten im Wasser.
Mein Mund berührte das schwarze Gras
Und grub sich ein in purpurne Schatten.

Zwischen Himmel und Klippe
Die Drift der schreienden Vögel.
Ich lag am Strand
Gefesselt im Garn der Algen,
Mit brennender Lippe
Vor einer Muschel.[41]

Das Thema des Noch-einmal-Gerettetwerdens, wenn auch vielleicht nur für kurze Zeit, wird hier dargestellt am Archetypus des Unbehausten

---

[41] *Chausseen Chausseen,* S. 24—25.

und vom Schicksal Verfolgten, an Odysseus. Allerdings geschieht das so
verschlüsselt, daß das Verständnis des Gedichtes als Ganzes sehr erschwert,
wenn nicht unmöglich gemacht wird. „Es dürfte schwer haben, sich gegen
den Vorwurf der Privatheit zu verteidigen", so sagt Ingo Seidler.[42] Daß
es sich überhaupt um Odysseus handelt, errät auch nur, wer sich an die
Einzelheiten des fünften und sechsten Gesanges der Odyssee erinnert
oder von Walter Jens darauf hingewiesen wurde.[43] Es soll auch hier nicht
versucht werden, eine vollständige Interpretation zu geben. Nur soviel
scheint deutlich: das Gedicht hält den Augenblick fest, wo Odysseus, der
sieben Jahre lang von der Nymphe Kalypso auf Ogygia in Liebesbanden
gefangengehalten worden war — daher die weißen Netze? —, an das
Land der Phäaken getrieben wird. Dort sollen auf Beschluß der Götter
seine Irrfahrten ein Ende nehmen, denn das sichere Geleit von dort zu
seiner Heimatinsel ist garantiert. Poseidon aber, der Odysseus wegen der
Blendung seines Sohnes, des Kyklopen Polyphem, mit seinem Zorn verfolgt, will ihn noch einmal strafen und läßt ihn zwei Tage lang in der
Brandung vor der Insel schwimmen; so setzt das Gedicht das Odysseus-
Motiv da fort, wo *Südliche Insel* aufgehört hatte. Mehrmals wird Odysseus in die Tiefe gerissen, seine Haut schält sich ab, und sein Körper wird
vom Salzwasser aufgedunsen. Schließlich, nachdem er dem Tod nur durch
göttliche Hilfe entgangen ist, kann er eine Flußmündung erreichen und
rettet sich völlig erschöpft in das Schilf am Strand. Er fällt in einen tiefen
Schlaf. Als er erwacht, hört er das Gelächter der Mädchen, von denen
eine, die Königstochter Nausikaa, auf ihn zutritt. Wieder ist die ur-
sprüngliche, in *Sinn und Form* veröffentlichte Fassung deutlicher:

> Als ich erwachte, lag ich am Strand,
> Die Schulter an Steinen zerschunden.[44]

Auch der Dialogcharakter des Gedichtes wird nur in dieser ersten
Fassung sichtbar, wo es hieß:

> Die Sterne verlöschen.
> (Rief aus den zögernden Schatten dein Fuß.)

Wieder erscheinen einige bereits vertraute Bilder: Helle, Dunkelheit,
Sterne, Durst. Die Todesnacht, in die der Sprecher in der *Elegie* versinkt,
wird hier erfahren, aber überwunden:

---

[42] Seidler, op. cit. S. 26.
[43] Wo die Dunkelheit endet, loc. cit.
[44] 14. Jahrgang, 1962, S. 871.

> Mein Mund berührte das schwarze Gras
> Und grub sich ein in purpurne Schatten.

Aber für wie lange? Die Rettung wird ja im Imperfekt erzählt, ebenso wie die Begegnung mit Nausikaa — „rief dein Fuß" — und bis auf zwei Ausnahmen stehen auch alle anderen Zeilen im Imperfekt. Dies ist aber in den späteren Gedichten fast immer das Tempus des unwiederbringlich Verlorenen.[45] Um so stärker fallen die beiden Präsenzzeilen ins Gewicht, die in scharfem Gegensatz zu der in der Vergangenheit erzählten Rettung stehen:

> Die Sterne verlöschen.
> Das Licht vor der Küste
> Zersplittert am Wind.

Erhöht wird dieser Kontrast in der endgültigen Fassung noch dadurch, daß die Zeile „Die Sterne verlöschen" nicht mehr als direkte Rede in den Mund Nausikaas gelegt wird — dann würde sie sich zeitlich in das in der Vergangenheit Erzählte einfügen, sondern unvermittelt dasteht als Feststellung des Unausweichlichen. Ähnliche plötzliche Tempuswechsel finden sich mit der gleichen Intention auch in anderen Gedichten.[46] Zweimal also das Verlöschen des Lichtes in der Gegenwart kontrastiert mit den vergangenen „weißen Netzen des Mittags", kontrastiert aber auch mit der Vorbildsituation. Denn da wurde Odysseus ja tatsächlich endgültig gerettet, während es im Gedicht nur die kurze Zuflucht eines Unbehausten zu sein scheint, deren Ende, auf den „Chausseen Chausseen", sich im Verlöschen des Lichtes schon ankündigt. Das mythologische Vorbild wird zum Gegenbild, zu einem von Hoffnung erfüllten Hintergrund, gegen den sich das eigene hoffnungslose Schicksal um so schärfer abhebt. Präsens versus Imperfekt: Sichtbarmachung der eigenen Situation im Spiegelbild, wie wir dies eingangs als eine Funktion der Mythisierung nannten.

Müssen wir das Gedicht als Warnung auffassen, die letzte Frist zu nutzen, ehe die Dunkelheit einbricht? So versteht es Sanders, der die Zeile „Nicht zähle die Jahre, zähle die Stunden" zitiert und hinzufügt: „Dem *Noch* ist doppeltes Gewicht zugewachsen. Zeit wird kostbar"[47]. Damit würde sich dieses Gedicht mit anderen des ersten Zyklus zusammenschließen, in denen ebenfalls von Warnung und letzter Frist gesprochen wird:

---

[45] „Es bedeutet nicht mehr Vergewisserung von Gewesenem, sondern Hinweis auf das Vorbei." Sanders, op. cit. S. 327.

[46] Vgl. *Das Zeichen, Chausseen Chausseen*, S. 9.

[47] Sanders, loc. cit.

Noch einmal flog
Am Abend die Wildentenkette
Durch wässrige Herbstluft.
[...]
Wer schrieb
Die warnende Schrift,
Kaum zu entziffern?
[...]
War es das Zeichen?

(Das Zeichen)

Kaufe dich los
Im Anblick der Grube.

(San Michele)

Noch will die Sibylle des Sommers nicht sterben.
Den Fuß im Nebel und starren Gesichts.
Bewacht sie das Feuer im laubigen Haus.

(Sibylle des Sommers)

und ein Bogen geschlagen zu den letzten Gedichten des Bandes, wo diese
Frist abgelaufen ist:

Gefangen bist du, Traum.
Dein Knöchel brennt,
Zerschlagen im Tellereisen.

(Traum im Tellereisen)

Ausgeräumt ist aber
Der Sommer,
Verstrichen die Frist.

(Unter der Wurzel der Distel)

Und nicht erforscht wird werden
Ein Geschlecht,
Eifrig bemüht,
Sich zu vernichten.

(Psalm)

Auffallend ist das fast völlige Fehlen von mythisierend und maskierend
verwandten Vorbildsituationen zwischen den beiden Polen des ersten und
des letzten Zyklus und ihr starkes Hervortreten sowohl am Ende des
Bandes als auch in den nach 1963 veröffentlichten Gedichten. Die Mittel-
teile, gleichsam die am Anfang gesetzte Frist ausnutzend, versuchen in
vielen Gedichten noch einmal die Flucht in die Kindheit in der Mark und
in die Jünglingsjahre im Süden. Obwohl dieser Eskapismus, der aber auch

immer wieder den Verlust betont, den ostdeutschen Kulturfunktionären ein Dorn im Auge war, sind die rückblickenden Gedichte doch unverfänglich genug, um ein Verstecken überflüssig zu machen.

In der Mitte des Bandes allerdings findet sich eine — ganz bezeichnende — Ausnahme, in der gerade die Unmöglichkeit einer solchen Flucht ausgesprochen wird. Auch ist die Ausdrucksschwierigkeit, die Sprache unter der Distel, noch einmal das Thema. — Wir kommen damit zum zweiten der Vorbildräume, die wir unterschieden haben, dem geschichtlichen.

Le Pouldu

Steinschleudernd,
Mit fetzendem Schaum,
Es wälzt sich das Meer gegen den Herbst.
Das Dunkel flutet. An Luft und Wolke
Hängt sich ein Schreien, es stürzt hinab
Und höhlt dich aus. Geh fort, Gauguin.

Laß alles zurück,
Die Einfalt des Landes,
Das Holzschuhgeklapper auf blankem Granit,
Das Kreuz aus Stein,
Von Stimmen umwittert.
Und auf der Lippe des Sommers
Das kühle Feuer der Distel.

Am Rücken der Klippe
Stehen die Männer, sie fischen Treibholz.
Zottige Pferde schleifen auf Kufen
Seetang über den Strand.
Geh fort, Gauguin. Das Dunkel flutet.
Der gelbe Christus neigt sein Haupt.
Aufflattern die weißen Hauben der Frauen.

Laß alles zurück,
Das Dorf, umwittert vom Garn der Netze,
Die rußumwehte Stunde nachts,
Die Stimme der Magd:
Herr, ich bin Wasser in deiner Hand.

Die fahle Frühe,
Ein Sensenblatt,
Liegt über der Dünung der See.
Die Kammer atmet. Blau flutet das Haar.
Und in der jähen Kehre des Traums
Treibt über rote Riffe ein Himmel,
Vom Hauch der Muschel gewölbt.

Die Küste huldigt dem Licht.
Die Fische tauchen tiefer
Und ziehen perlende Fäden
in den Schlaf der Schatten.[48]

Flucht vor dem flutenden Dunkel, Flucht an die Küste, die dem Licht
huldigt, Flucht vor dem Herbst, dem steinschleudernden Meer, das sich
drohend heranwälzt — die Reminiszenz an den „Steinschlag roher Worte"
in *Polybios I* ist nicht zu überhören —, Flucht nun schließlich auch vor
der ‚Distel', die sich schon auf die „Lippe des Sommers" gelegt hat. Für
Gauguin, der zwischen 1889 und 1894 einige Zeit in Le Pouldu in der
Bretagne verbrachte, wurde sie Wirklichkeit, als er nach Tahiti ging. Aber
handelt es sich in diesem Gedicht überhaupt um Gauguin? Wie schon in
der *Elegie* ein einziges Wort, „Telegraphendrähte", die Totenfahrt
Homers als Folie für die Gegenwart erwies, so ist es auch hier eine
leicht zu übersehende Zeile, die das Gedicht in das Gegenteil des anscheinend Gesagten verkehrt, in die Unmöglichkeit der Flucht: die Küste,
die dem Licht huldigt, wird nur „in der jähen Kehre des Traums"
erreicht. So erweist sich die Wende zur Südseelandschaft in den letzten
Zeilen als Illusion. Damit aber tritt Huchel selbst ein, der eine heimatliche
Seenlandschaft mit einigen Details bretonisch verfremdet hat, um hinter
der persona des Malers seine Sehnsucht auszusprechen. Sicher nicht zufällig
läßt Huchel auf *Le Pouldu* ein Gedicht folgen, das davonziehende Vogel-
schwärme kontrastiert mit der Schnecke, die im kalten Winter ihr Gehäuse
verschließt.[49]

Das Hinübergleiten der Realität in den Traum geschieht nicht unvermittelt. Es beginnt schon mit dem Wort „flutet", das in der ersten und
dritten Strophe für das Hereinströmen der Dunkelheit — und damit
unterschwellig auch des Traums — stand, in der fünften Strophe jedoch
das blauschwarze Haar der Südseeinsulanerinnen auf Gauguins Bildern
evoziert. Nur im Traum sind die bedrohlichen „Schatten" überwunden,
sie liegen im „Schlaf" und werden von Perlen durchwirkt. Wie in dem
Gedicht *Hinter den weißen Netzen des Mittags* erscheint hier ebenfalls
die Muschel als Zeichen des Erlösenden, Rettenden — von ihrer Bedeutung in Huchels Werk wird noch ausführlicher zu sprechen sein —, ist

---

[48] *Chausseen Chausseen*, S. 39.
[49] *In der Bretagne*, ibid. S. 41. Laut Kantorowicz (op. cit. S. 162) wurde dieses
Gedicht schon 1928 geschrieben. Das ändert aber nichts an der Tatsache, daß es
im Zusammenhang mit den anderen Texten des Bandes eine Bedeutungserweite-
rung erfuhr, deren sich Huchel bewußt gewesen sein muß, als er es an diese Stelle
setzte.

aber nun, in der Sphäre des Traums, zum reinen Wunschbild geworden. Dasselbe gilt für die andere auffallende Parallele:

> Das Licht vor der Küste
> Zersplittert am Wind.
> *(Hinter den weißen Netzen des Mittags)*
> Die Küste huldigt dem Licht.

(Le Pouldu)

Stand in *Le Pouldu* das Persönliche verschlüsselt noch einmal im Vordergrund, so geht es in den letzten Gedichten in der Sorge um Deutschland und den Gang der Weltgeschichte auf. Damit wiederholt sich ein Vorgang, den wir auch bei Huchels Produktion zwischen 1933 und 1945 beobachten können, als Gedichte, die um Kindheit und Jugend kreisen, Visionen des Bösen weichen, das Deutschland bedroht und das es zu überwinden gilt.[50]

Eine solche Hinwendung zum Allgemeinen bedingt in den verschlüsselten Gedichten jedoch auch eine Verlagerung zu neuen Bezugsebenen. War es zu Anfang des Bandes fast ausschließlich die griechische Mythologie[51], so treten wir mit den späten Gedichten in den letzten genannten Vorbildraum, den biblischen, insbesondere den alttestamentarischen, dessen Prophetenstimme Huchel nun erhebt:

> Und nicht erforscht wird werden
> Ein Geschlecht,
> Eifrig bemüht,
> Sich zu vernichten.

(Psalm)

Als Beispiel für die manchmal extreme Verschlüsselung soll hier abschließend das schwierigste dieser Gedichte, *Ankunft*, ausführlich interpretiert werden.

Ankunft
> Männer mit weißen
> Zerfetzten Schärpen

---

[50] Auch in jenen Gedichten nahm Huchel, wie im nächsten Kapitel zu besprechen ist, Zuflucht zur Mythologie. Nur ist es dort die in seinem späteren Schaffen nur noch sehr verdeckt eine Rolle spielende germanische Mythologie. So erscheint mehrmals drohend die Wilde Jagd *(Späte Zeit, Zwölf Nächte)*. Die Wahl kann Absicht sein, um den Germanenmythos des Dritten Reiches als böse bloßzustellen.

[51] Neben den behandelten Gedichten seien angeführt: *Thrakien,* wo in der Erwähnung des Flusses auf den Acheron angespielt wird und *Die Spindel* mit der den Lebensfaden spinnenden Klotho.

Reiten am Rand des Himmels
Den Scheunen zu,
Einkehr suchend
Für eine Nacht,
Wo die Sibyllen
Wohnen im Staub der Sensen.

Grünfüßig
Hängt das Teichhuhn
Am Pfahl.
Wer wird es rupfen?
Wer zündet im blakenden Nebel
Das Feuer an?
Weh der verlorenen
Krone von Ephraim,
Der welken Blume
Am Messerbalken der Mähmaschine,
Der Nacht
Auf kalter Tenne.

Ein Huf
Schlägt noch die Stunde an.
Und gegen Morgen
Am Himmel ein Krähengeschrei.[52]

Wesentlich zum Verständnis trägt es bei zu wissen, daß dieses Gedicht zuerst[53] in einem dem Thema ‚Berlin‘ gewidmeten *Merian*-Heft — im Januar 1970 — veröffentlicht wurde. Huchel hatte es zwar schon vor der Aufforderung zur Mitarbeit geschrieben, es aber speziell für dieses Heft ausgewählt.[54] Ebenfalls hierhin gehört, daß Huchel mit diesem Gedicht seine zweite Dichterlesung im Westen begann, und zwar am 11. Januar 1972 im *Sender Freies Berlin*.

Auf den ersten Blick entzieht sich der Text jeglicher Deutung, und wer Huchel weiterhin als Naturlyriker interpretiert, könnte die Auswahl mit dem Hinweis auf die ‚märkische‘ Landschaft rechtfertigen, die man vielleicht im „Teichhuhn" entdecken könnte. Wiederum gibt nur ein Wort, „Ephraim", den Schlüssel. Dazu einige Zitate aus Jesaja, Kapitel 28, das

---

52 Gleichzeitig veröffentlicht in *ensemble*, Sonderband des Jahrbuchs *Gestalt und Gedanke* der Bayerischen Akademie der Schönen Künste, München 1969, S. 189, und in *Merian* „Berlin", Hamburg 1970, S. 104. Jetzt in: *Gezählte Tage*, S. 10.
53 Vgl. Fußnote 52.
54 Diese Kenntnis verdanke ich dem Hoffmann-und-Campe-Verlag, Brief vom 24. März 1971.

in Luthers Übersetzung die Überschrift „Gericht über Ephraim und Juda"
hat:

1. Weh der prächtigen Krone der Trunkenen von Ephraim, der welken
   Blume ihrer lieblichen Herrlichkeit, welche steht oben über einem fetten
   Tal derer, die vom Wein taumeln!
2. Siehe, ein Starker und Mächtiger vom Herrn wie ein Hagelsturm, wie
   ein schädliches Wetter, wie ein Wassersturm, der mächtig einreißt, wirft
   sie zu Boden mit Gewalt,
3. Daß die prächtige Krone der Trunkenen von Ephraim mit Füßen zer-
   treten wird.
4. Und die welke Blume ihrer lieblichen Herrlichkeit, welche steht oben über
   einem fetten Tal, wird sein gleichwie die Frühfeige vor dem Sommer,
   welche einer ersieht und flugs aus der Hand verschlingt.

Der Zusammenhang, in dem diese Zeilen stehen, ist folgender: das alte
Reich Israel war ca. 926 v. Chr. in zwei Teile geteilt worden, ein Nord-
reich, das sich weiterhin Israel nannte, mit der Hauptstadt Samaria, und
ein Südreich, Juda, mit der Hauptstadt Jerusalem. Der Name Ephraim,
ursprünglich nur Name eines Stammes, wurde auch für das ganze Reich
Israel gebraucht. Um den verhaßten Gegner zu bezwingen, bedienten sich
die beiden verfeindeten Bruderstaaten der Hilfe Assyriens. Die Folge war
das starke Vordringen der Assyrer und der Machtverlust der beiden
israelitischen Staaten. Im Jahre 722, zu Lebzeiten des Propheten Jesaja,
wurde das Reich Israel zerstört und die Bevölkerung weggetrieben. Nur
der andere Teilstaat, Juda, überstand als Satellit Assyriens den Untergang des Nordreiches. Ein Auflehnungsversuch im Jahre 701 war erfolg-
los, Juda wurde assyrisches Aufmarschgebiet. Lediglich Jerusalem wurde
noch für einige Zeit gegen hohen Tribut verschont. Die Parallelen zum
Thema Deutschland und Berlin brauchen wohl kaum betont zu werden.
Als das Buch Jesaja beginnt, ist Israel bereits zerstört und Jesaja
prophezeit den baldigen Untergang Judas und Jerusalems:

7.8. Und über fünfundsechzig Jahre soll es mit Ephraim aus sein, daß sie
   nicht mehr ein Volk seien.
1.7. Euer Land ist wüst, eure Städte sind mit Feuer verbrannt; Fremde
   verzehren eure Äcker vor euren Augen, und es ist wüst wie das, so
   durch Fremde verheert ist.
1.8. Was aber noch übrig ist von der Tochter Zion, ist wie ein Häuslein im
   Weinberge, wie eine Nachthütte in den Kürbisgärten, wie eine ver-
   heerte Stadt.

Dieser letzte Vers kann der Ausgangspunkt für die erste Strophe von
Huchels Gedicht gewesen sein. Die Männer, die da „für eine Nacht"

Einkehr suchen in den Scheunen — sind es die, die in der „Nachthütte" „noch übrig" sind? Ihre Schärpen sind ja zerfetzt, d. h. ein Kampf liegt hinter ihnen — als Feldbinde war die Schärpe schon bei den Griechen und Römern ein Abzeichen der Kämpfer —, und ihre Zuflucht ist nur kurzfristig. Noch einmal also das Thema des Unbehausten, das Huchel schon in der Odysseus-Figur angeschlagen und in *Chausseen Chausseen* zum Titel erhoben hatte. Auch die Ödheit des Landes, in dem nicht mehr gesät und geerntet wird — die Sensen sind staubig, das Huhn wird nicht gerupft, die Tenne ist kalt —, gehört zu dem Strafgericht Gottes, das Jesaja kommen sieht:

> 7.23. Denn es wird zu der Zeit geschehen, daß, wo jetzt tausend Weinstöcke stehen [...] da werden Dornen und Hecken sein.
> 7.25. Daß man auch zu allen den Bergen, die man mit Hauen pflegt umzuhacken, nicht kann kommen vor Scheu der Dornen und Hecken.

Aber auch etwas Drohendes liegt in der dreifachen Nennung von scharfen Schneidemessern — Sense, Messerbalken, Mähmaschine. Dies hat wiederum seinen Ausgangspunkt in Jesaja. Im siebenten Kapitel, „Strafgericht durch die Assyrer", heißt es:

> 7.20. Zu derselben Zeit wird der Herr das Haupt und die Haare an den Füßen abscheren und den Bart abnehmen durch ein gemietetes Schermesser, nämlich durch die, so jenseits des Stroms sind, durch den König von Assyrien.

Dazu kommt das Wort „Tenne", das ebenfalls in doppelter Funktion erscheint: sie ist „kalt", d. h. leer, weil nicht geerntet wird, sie ist aber auch der Dreschboden, auf dem die Ähren zerstampft werden, und wie das Schermesser metaphorisch in der Bedeutung ‚Strafgericht', gebraucht Jesaja auch die Tenne in diesem Sinne:

> 21.10. Meine liebe Tenne darauf gedroschen wird.

Eine Zeile, die in der *Zürcher Bibel* so übersetzt ist: „Du mein zerdroschenes und zertretenes Volk."

Die Doppelfunktion, die wir eben für Sense, Messerbalken, Mähmaschine und Tenne erkannt haben, läßt sich auch auf andere Teile des Gedichtes ausweiten. Der Titel ist ‚Ankunft'. Das muß sich auf mehr beziehen als auf die Einkehr, für eine Nacht, der geschlagenen Kämpfer, als die wir sie eingangs interpretierten. Dagegen spricht schon die Erhöhung ihrer Erscheinung ins Visionäre, ja Apokalyptische: sie reiten „am Rand des Himmels". Nun ist bei Jesaja mehrmals von Reitern die Rede, immer als Einfall Zerstörung bringender feindlicher Truppen:

5.28. Ihre Pfeile sind scharf und alle ihre Bogen gespannt. Ihrer Rosse Hufe
sind wie Felsen geachtet und ihre Wagenräder wie ein Sturmwind.
21.7. Er sieht aber Reiter reiten auf Rossen.
21.9. Siehe, da kommt ein Zug von Reitern.[55]
22.7. Und es wird geschehen, daß deine auserwählten Täler werden voll
Wagen sein, und Reiter werden sich lagern vor die Tore. (Belagerung
Jerusalems)

Huchels Gedicht beginnt mit dem Kommen der Reiter und endet mit
dem die Zeit anschlagenden Huf. Dazwischen liegt das „Wehe der Krone
von Ephraim, der welken Blume, der Nacht auf kalter Tenne". Es muß
also eine endgültige Zerstörung, ein Untergang bevorstehen, der mit den
Reitern eingetroffen ist, deren Pferde schon die letzten Stunden mit den
Hufen anschlagen.[56] Was bleibt, ist „gegen Morgen ein Krähengeschrei".
Vergleichen wir aber andere Gedichte Huchels, in denen von Krähen
gesprochen wird, so erkennen wir bald, daß sie immer in Verbindung mit
Tod und Untergang auftreten:

> Da sah ich vor meinen Augen
> den Trupp von Toten, im Tod noch versprengt [...]
> Kalt kam die Frühe im Krähenflug.
> Sie starrten den Himmel an.
> Da sah ich mich selber im grauen Zug,
> der langsam im Nebel zerrann.[57]

> Und Männer rissen mit Bajonetten
> Fetzen Fleisch
> Aus schneeverkrustetem Vieh,
> Schleudernd den Abfall
> Gegen die graubemörtelte
> Mauer des Friedhofs
> Es kam die Nacht
> Im krähentreibenden Nebel.[58]

> Die erste Frühe,
> Als im Gewölk das Gold

---

[55] So die Übersetzung in der *Zürcher Bibel*, Zürich 1955. Luther schreibt:
„Und siehe, da kommt einer, der fährt auf einem Wagen."
[56] Dies steht nicht unbedingt im Widerspruch zu der eingangs von den Reitern
gegebenen Interpretation, ist vielmehr Ausdruck einer bei Huchel häufigen Be-
deutungsvielfalt. Dies wird sich noch einmal erweisen, wenn wir dieses Gedicht
an späterer Stelle in einen neuen Zusammenhang stellen.
[57] *Die Schattenchaussee, Die Sternenreuse*, S. 84.
[58] *Der Treck, Chausseen Chausseen*, S. 63.

Der Toten lag. Es schlief der Wind,
Wo im Geäst
Die nebelgefiederte Krähe saß.[59]

Eine Vision vom endgültigen Sterben des zweigeteilten Deutschland also, besetzt und zerstört von den ‚Assyrern‘, als verdiente Strafe Gottes für eine ‚fromme Stadt die zur Hure geworden ist‘ (Jes. 1.21.), für ein ‚sündiges Volk von großer Missetat‘ (Jes. 1.4.). Die Vision ist um so schrecklicher, als Huchel eine Erlösung und Rettung, die Jesaja ja für spätere Zeiten verheißt, in Frage stellt. Jesaja sagt im vierten Kapitel, „Vom messianischen Heil":

> 4.3. Und wer da wird übrig sein zu Zion und überbleiben zu Jerusalem, der wird heilig heißen.
> 4.4. Dann wird der Herr den Unflat der Töchter Zion waschen und die Blutschulden Jerusalems vertreiben von ihr durch den Geist, der richten und ein Feuer anzünden wird.

Doch wer, fragt Huchel jetzt im Gedicht, „zündet im blakenden Nebel das Feuer an?"[60] Auch ist die Krone von Ephraim, die bei Jesaja immerhin „prächtig" war, bei Huchel schon „verloren".

Wie Huchel hier ein hochpolitisches Gedicht, das nun keine „gußeiserne Lerche" ist, in einer völlig unpolitischen, mit Naturelementen arbeitenden Sprache schafft, ist bewundernswert; gelingt es ihm doch, ohne mit einer einzigen Silbe sein wahres Thema direkt auszusprechen, allein durch Chiffren und verdeckte Anspielungen, die ganze Misere Deutschlands, seine Schuld und seine Bestrafung, gleichnishaft zu bewältigen.

Daß Huchel mit diesem und anderen ‚unter der Wurzel der Distel‘ geschriebenen Gedichten sehr viel Mühe macht — und Mühe machen will —, ist nicht von der Hand zu weisen. Was Eduard Zak, der 1953 Huchel noch ganz als den getreuen sozialistischen Realisten eingemeinden wollte, lobend von ihm sagte, daß „das Lesen seiner Gedichte von uns nicht das Bereithalten eines Bildungsballastes" fordere[61], gilt heute nicht — so wie es übrigens auch damals nur mit Einschränkungen galt. Huchel hat, zwar mit derselben Schlichtheit der Sprache, eine extreme Gegen-

---

[59] *Aristeas, Die Neue Rundschau*, op. cit. S. 233.

[60] Deutlich zeigt der bestimmte Artikel hier an, daß es sich nicht um irgendein Feuer handelt. Zum Gebrauch des bestimmten Artikels in der modernen Lyrik vergleiche auch Hugo Friedrich, *Die Struktur der modernen Lyrik*. Hamburg 1966³, S. 160.

[61] E. Zak, Der Dichter Peter Huchel, *Neue Deutsche Literatur*, Nr. I, Heft 4, 1953, S. 169.

position erreicht. Wie Celan und Bobrowski, die ihn beide sehr ver-
ehrten[62], ist er ein poeta doctus. Der Vorwurf, den man ihm daraus
gemacht hat, erledigt sich mit den Worten von Alfred Kantorowicz,
einem Freund, der es wissen muß:

> Von der anderen Seite her bemängeln einige bundesdeutsche Kritiker Häu-
> fung von Metaphern, nicht nur von schiefen, sondern auch undeutlichen
> Wortbildern. Er bastele und künstele, sagen sie. Ganz unpolemisch, nur
> erklärend weise ich darauf hin, daß solche Kritik bemerkenswerterweise von
> denen kommt, die seit 1933 ungebrochen im Einverständnis mit den jewei-
> ligen Machthabern waren. Solche wahrhaft glücklich zu Preisenden, die nie
> im geistigen Widerstand gestanden haben, also niemals verschlüsselt oder
> verschleiert ihre Not, ihre Scham, ihren Widerspruch verständlich machen
> mußten, wissen weder vom Lebensgefühl noch vom Intellekt her, wie man
> sich Mitleidenden kenntlich macht, daher sie trotz ihres Scharfsinns oft für
> Metaphorik halten, was in Wahrheit Chiffre ist, die über die Welle der
> Gleichgestimmtheit von denen empfangen und entschlüsselt wird, die zu-
> gänglich sind.[63]

---

[62] Bobrowski bewunderte Huchel als sein Vorbild; vgl. das Interview mit
Irma Rellitz: „Meinen Landsleuten erzählen, was sie nicht wissen." Bandauf-
nahme des *Senders Freies Berlin* vom März 1965, in: Johannes Bobrowski,
Selbstzeugnisse und Beiträge über sein Werk. Berlin 1967, S. 79. Celan widmete
Huchel drei Gedichte zum 65. Geburtstag, und zwar in: *Hommage für Peter
Huchel — zum 3. April 1968*. München 1968, S. 15—17.

[63] A. Kantorowicz, op. cit. S. 181.

,Himmel ohne Stern und Gnade'

Die existentielle Schicht

Im letzten Kapitel wurde versucht, die mythologischen, biblischen und historischen Anspielungen freizulegen, deren sich Huchel zur Überhöhung und Chiffrierung der ihn bedrängenden Gegenwart bedient. Nun ist aber die Bezugnahme auf überliefertes und in diesem Sinne allgemeinverständliches Gedankengut nur ein Mittel und keineswegs das von Huchel am häufigsten verwendete. Daneben tritt, was Walther Killy, im Zusammenhang mit Hölderlin, „die Glauben erheischende, die ganze Existenz deutende und beanspruchende Privatmythologie" nennt, die fordere, „daß man in ihr System eintrete, das sich systemimmanent erläutert"[1]. In ähnlichem Sinne spricht Wilhelm Emrich davon, daß „die Dichtung jeder Zeit [...] mythische Bilder, ja ganze Mythenkomplexe produziert" hat, die er als „ein umfassendes geistiges Weltbild in Gestalt von Bildern" definiert, die sich nicht „vom sogenannten echten, alten Mythos her" interpretieren lassen.[2]

Hier ist nun eine Einschränkung zu machen: „ein neues System von Bildern"[3], „eine solche Bilderwelt"[4] allein verdient den Namen ,Mythos' noch nicht. So ist die uns mehrmals begegnete ,Distel' gewiß eine Chiffre, d. h. ein privates und nur systemimmanent auflösbares Bild, das einen komplizierten und zum Teil recht abstrakten Sachverhalt veranschaulicht — trotzdem scheinen Begriffe wie ,Mythos' und ,Mythologie' noch ein Mehr zu beinhalten, das der Chiffre von der Distel, so wie wir sie bisher interpretierten, zunächst noch zu fehlen scheint. Gemeint ist das Element des Numinosen. Die Distel umschreibt einen Sachverhalt, weist aber nicht explicite über ihn hinaus. Anders, und von Huchel leichter einsichtig gemacht, das Zeichen der ,Krähe'. Sie steht nicht nur für Winterkälte und Öde, sondern wird zum Boten des Todes, zum Überbringer außermensch-

---

[1] Walther Killy, Mythologie und Lyrik. In: *Die Neue Rundschau* 80, 1969, S. 713.
[2] Wilhelm Emrich, Symbolinterpretation und Mythenforschung, *Euphorion* 47, S. 60.
[3] Walther Killy, *Wandlungen des lyrischen Bildes*. Göttingen 1964⁴, S. 44.
[4] Emrich, loc. cit.

licher Nachrichten und Wahrheiten.[5] In dem bereits zitierten Gedicht *Aristeas* wandelt sich die Krähe sogar ausdrücklich zum überirdischen Wesen:

> Die erste Frühe,
> Als im Gewölk das Gold
> Der Toten lag. Es schlief der Wind,
> Wo im Geäst
> Die nebelgefiederte Krähe saß [...]

> Ich Aristeas,
> Als Krähe einem Gott gefolgt,
> Ich schweifte,
> Vom Traum gerissen,
> Durch Lorbeerhaine des Nebels,
> Mit starren Flügeln den Morgen suchend [...]

> Die Krähe strich
> Ins winterliche Tor,
> Strich durchs verhungerte Gesträuch.
> Frost stäubte auf.
> Und eine dürre Zunge sprach:
> Hier ist das Vergangene ohne Schmerz.

Das Gedicht bezieht sich auf den von Herodot im vierten Buch seines Geschichtswerkes erwähnten Mythos von Aristeas, einem Diener Apollos, der dem Gott in Gestalt eines Raben folgte und dem es möglich war zu sterben und doch wieder von den Toten zurückzukehren. Als Bote aus der Totenwelt, in der „das Vergangene ohne Schmerz" ist, erscheint er hier im Gedicht.

Schlägt Huchel in diesem späten Gedicht — 1970 — auch die Brücke zum „echten, alten Mythos", so macht er doch nur noch einmal auf andere Weise sichtbar, was in dem Zeichen von der Krähe, soweit sie Privatmythologie ist, schon angelegt war: die Beziehung zu einer die unmittelbare Realität übersteigenden Sphäre, einem Numen, das die Chiffre von der Distel nicht in diesem Maße umgibt.[6]

---

[5] Vgl. den ähnlichen Gebrauch der Vogelchiffre bei Günter Eich sowie den Artikel von Egbert Krispyn, „Günter Eich and the Birds", op. cit.

[6] Zum Numinosen in der Privatmythologie vgl. H. Pongs, *Das Bild in der Dichtung*, Abschnitt: Die mythische Metapher, in Bd. I, S. 267—304. Vgl. auch Jan Aler: Mythical Consciousness in Modern German Poetry, in: *Reality and Creative Vision in German Lyrical Poetry*, ed. by A. Closs, London 1963: „Lacking a numinous aura, lacking a touch of the Infinite, a glimpse of some

Nun lassen sich bei Huchel vier Aspekte eines Mythenkomplexes kennen, die sich aber durchdringen und gegenseitig bedingen. Es sind dies die Vorstellungen von einer Vereisung der Welt, von einer zunehmenden Verfinsterung, von einem uns umgebenden Reich der Toten, das manchmal als drohend, manchmal aber auch als letzte Zuflucht der Wahrheit und des ,Feuers' geschildert wird, und letztlich die Vorstellung von einer Rauch-, Schatten- und Nebelwelt, aus der das Numinose nach uns tastet. Allen vier Teilaspekten gemeinsam ist der Gedanke einer Verarmung der Erde, eines unaufhaltsamen Auszugs des ,Lichtes', das bei Huchel — wir sahen es schon — zum durchgehenden Symbol wird.

Dieser auch mit der ,echten, alten' griechischen oder nichtgriechischen Mythologie so eng verwobene Komplex läßt sich nur schwer in Einzelabteilungen getrennt darstellen. Wir wählen daher als vielleicht besten Einstieg in die skizzierte Komplexität der Huchelschen Vorstellungswelt das 1938 heimlich geschriebene und unter Hitler nicht veröffentlichte Gedicht *Zwölf Nächte*[7], das das Dämonisch-Böse des Nationalsozialismus bloßstellen will. Nun tut Huchel dies aber in den Bildern von „Schnee", „Eis" und „Finsternis" in Verbindung mit der Evokation der Zwölf Nächte zwischen Weihnachten und dem 6. Januar, und er erwähnt die „Elster", d. h. er bleibt innerhalb jenes Bezugssystems, dessen er sich in der in der Einleitung genannten Weihnachtsgeschichte *Von den armen Kindern im Weihnachtsschnee* bedient hatte, dort aber, um im Tode der Kinder einen grausam narrenden, ungerechten Gott anzuklagen. Auch dort findet sich die „Elster" im verschneiten dämonisierten Wald, in den die Kinder zu Beginn der Zwölf Nächte gelockt werden. Dies sind Gemeinsamkeiten, die die Vermutung nahelegen, daß Huchel einen tieferen Zusammenhang meint, durch den nämlich die politische Allegorese auf eine Gleichnisebene gehoben wird. auf der sie sich als Zeichen der Gottesferne erweist. Eine Untersuchung der von *Zwölf Nächte* ausgehenden Bildstränge soll nun diese Vermutung bestätigen und Huchels Mythenkomplex entwickeln.

Zwölf Nächte

Zwölf Nächte nahen weiß verhüllt,
aus Urnen stäubt der Schnee.
Die geisterhafte Asche füllt
den nebelgrauen See.

---

metaphysical perspective, lacking these things, mythical consciousness is out of the question." „There cannot exist genuine mythical poetry without offering a glimpse of a numinous substratum." S. 189—190.
[7] *Die Sternenreuse*, S. 76.

Die Elster flattert schwarz und weiß
im schattenlosen Wind.
Zerfetzte Kiefern knarrn im Eis,
das Land liegt maulwurfsblind.

Nicht ruhn bei Münzen, Ring und Krug
die Toten unterm Stein.
Der Mond weht wie ein weißer Spuk.
Die Öde hüllt sie ein.

Die Dämmerung von Stimmen hallt,
die nie ein Ohr erlauscht.
Die Toten gehn, wo überm Wald
die kalte Asche rauscht.

Und gräbst du durch das Eis der Nacht,
wie es der Spruch gewollt,
dein Spaten schürft und hebt im Schacht
der Fäulnis fahles Gold.

Du findest nur den Schmerz der Zeit,
die Erde feucht vom Blut.
Und unterm Schutt, zum Biß bereit,
der Schlangen nackte Brut.

Zertritt ihr Haupt und scheu den Biß.
Horch in den Wind, bleib stumm.
Noch herrscht der Glanz der Finsternis,
noch geht der Würger um.

Doch nicht erstickt der Nacht Gewalt
der Seele stilles Licht.
Weht auch der Hauch der Asche kalt,
die Finsternis zerbricht.

Vergleichen wir dieses Gedicht mit den ersten beiden Strophen des noch
früheren *Krähenwinter:*

Über Luch und Rohr und Seen
schickt der Winter Nebelkrähen,
Schatten überm blanken Eise
rudern sie im Winde leise.

Licht der Erde, du wirst arm,
landen sie im harten Schwarm,
scharren sie im Schnee der Wege,
liegt der Wind am Hügel träge.[8]

---

[8] *Die Sternenreuse,* S. 32.

Zunächst fällt auf, daß in *Zwölf Nächte* die Bilder, die in *Krähenwinter* noch konkret standen, in übertragener Bedeutung gebraucht werden: statt des blanken Eises haben wir das metaphorische „Eis der Nacht", statt „Licht der Erde" „der Seele stilles Licht", der „Schnee der Wege" ist zur Asche aus den Urnen geworden. Auch die Krähen, obwohl schon kältebringend, rufen im frühen Gedicht noch nicht die Assoziationen hervor, die sie später haben, und die in der Elster in *Zwölf Nächte,* die die einleitend zitierte Weihnachtsgeschichte als Hexenvogel ausgewiesen hatte, impliziert sind. Diese Metaphorisierung allein erlaubt es uns aber noch nicht, hier von einem Mythos zu sprechen. Erst die hinzukommende Dämonisierung und Ausweitung ins Kosmische schafft jenes numinose Element, das die Zeichensprache zur Mythologie erweitert.

Die Technik der Mythisierung ist hier überdeutlich, und es ist gerade diese Überdeutlichkeit, die uns das Gedicht als geeignetes Werkzeug für die Interpretation der späteren erscheinen läßt. — Da ist zunächst noch einmal der Bezug zu einem ‚echten, alten Mythos', dem germanisch-heidnisch-christlichen von der Wilden Jagd, einem Geisterheere, das in den Zwölf Nächten zwischen Weihnachten und Dreikönige durch die Luft reitet und dessen Gefolge aus den Seelen verdammter Verstorbener besteht. Was Huchel zu diesem Mythos hinzutut, ist vor allem die Verbindung, die er, über die Assoziation Schnee—Asche, zwischen den ‚Toten' und Schnee und Eis herstellt, eine Verbindung, die in insgesamt mehr als zwanzig Gedichten auftritt, für Huchel also überaus kennzeichnend ist. Es seien nur einige besonders charakteristische Beispiele aufgeführt:

> Nur die Toten
> [...] sehen
> Den eisigen Schatten der Erde
> Gleiten über den Mond.
>
> *(Das Zeichen)*

> Sie (die Toten) hauchen Eis in die Gläser.
>
> *(Soldatenfriedhof)*

> Hinter der Hürde des Nebels,
> Schnee in den Mähnen,
> weiden die toten Pferde,
> die Schatten der Nacht.
>
> *(Der Rückzug III)*

Der Mythisierung der Toten zu drohenden Gespenstern, von deren Atem eine eisige Kälte ausgeht, entspricht in *Zwölf Nächte* die Dämonisierung des Schnees. Er wird ja nicht nur als ‚Asche' aus den Urnen, d. h.

als immer noch toter Stoff dargestellt, sondern er wird „geisterhaft" belebt, er wird, in der vorletzten Zeile, zum „Hauch", der aus der Totenwelt weht.

Auch der Mond wird in diese geisterhafte Sphäre der Toten hineingezogen, wenn auch in *Zwölf Nächte* nur durch einen Vergleich. Wie in der Lyrik des Expressionismus, besonders bei Heym, ist der Mond in vielen Gedichten nicht Trostspender oder Gedankenfreund, sondern eine häßliche und bedrohliche Macht. So leuchtet er in der *Elegie* als Feuerschiff in das Land der Toten, er ist „das Auge der Ödnis" *(Die Pappeln)*, und in *Schlucht bei Baltschik* gräbt er unter Steinen nach Pferdeschädeln.

Wurde in *Zwölf Nächte* die von der Totenwelt hereinwehende eisige Nacht als temporär aufgefaßt, an deren Ende als Symbol der Hoffnung das Licht steht, so kehrt sich in vielen späten Gedichten Huchels diese Reihenfolge um, und die vorübergehende Nacht wird zur bleibenden Dunkelheit, zur Eiszeit. Eine Analyse der 1955 zum 70. Geburtstag von Ernst Bloch geschriebenen *Widmung*, wo Huchel zum erstenmal öffentlich seine Resignation eingesteht, wird dies erweisen. Das Gedicht wurde noch im selben Jahr in *Sinn und Form* veröffentlicht.

Widmung
für Ernst Bloch

Herbst und die dämmernden Sonnen im Nebel
Und nachts am Himmel ein Feuerbild.
Es stürzt und weht. Du mußt es bewahren.
Am Hohlweg wechselt schneller das Wild.
Und wie ein Hall aus fernen Jahren
Dröhnt über Wälder weit ein Schuß.
Es schweifen wieder die Unsichtbaren
Und Laub und Wolken treibt der Fluß.
Der Jäger schleppt nun heim die Beute,
Das kiefernästig starrende Geweih.
Der Sinnende sucht andere Spur.
Er geht am Hohlweg still vorbei,
Wo goldner Rauch vom Baume fuhr.
Und Stunden wehn, vom Herbstwind weise,
Gedanken wie der Vögel Reise,
Und manches Wort wird Brot und Salz.
Er ahnt, was noch die Nacht verschweigt,
Wenn in der großen Drift des Alls
Des Winters Sternbild langsam steigt.[9]

---

[9] *Chausseen Chausseen*, S. 45.

Das Gedicht hat eine abgerundete Struktur: es beginnt mit einer Erscheinung des Nachthimmels und endet mit einer Erscheinung des Nachthimmels. Aber das Muster mancher früherer Gedichte, wie wir es eben
kennengelernt haben, nämlich Verzweiflung am Anfang und Hoffnung
am Ende — dieses Muster ist hier umgekehrt: zu Beginn haben wir den
herbstlichen Nachthimmel mit einer schnell fallenden Lichterscheinung,
am Ende kommt eine andere, den Winter ankündigende Lichterscheinung
den Nachthimmel herauf.

Die erste Lichterscheinung ist unbestimmt; es läßt sich nicht sagen, wel-
ches konkrete Phänomen Huchel im Sinn hat. Vielleicht ist es ein Komet,
so daß das Verb „wehen" dessen Schweif evozieren könnte. Deutlich ist
jedoch die symbolische Bedeutung des Lichtes, wie wir sie schon in vielen
anderen Gedichten Huchels feststellen konnten. Die Aufforderung an
Bloch „Du mußt es bewahren" — Du natürlich auch Aufforderung an den
Leser ebenso wie Selbstermahnung Huchels — läßt darauf schließen, daß
es sich bei der schnell fallenden Lichterscheinung um etwas Kostbares
handelt, dessen Erinnerung bewahrt bleiben muß, wie Huchel es auch in
anderen Gedichten im Lichtsymbol ausspricht:

> Wenn mittags das weiße Feuer
> Der Verse über den Urnen tanzt,
> Gedenke, mein Sohn [. . .]
> Bewahre die Stunde [. . .].[10]

Hier ist das „Feuer" das Dichterwort, die über den Urnen tanzende
Asche der vorangegangenen Toten, deren Erinnerung Huchels Sohn fest-
halten soll. Ist das ,Feuerbild' in *Widmung* etwas ähnliches, oder ist es
die „Freiheit, mein Stern" *(In Memoriam Paul Eluard)*, die mit wehender
Fahne untergeht und die Hoffnung mit sich nimmt?

Die zweite Lichterscheinung ist in ihrer Bedeutung klarer, „Des Winters
Sternbild" ist der Dreizack des Orion, der, im Sommer unter dem Hori-
zont unsichtbar, im Winter den Nachthimmel beherrscht. Harte Zeiten
kommen für die Sinnenden, gleichgültig, frostig und winterlich und so
unausweichlich wie ein Sternbild steigt. Es wird wieder geschossen — ein
Echo des Krieges vielleicht oder eine Anspielung auf die an der Grenze
zwischen den beiden Deutschland gejagten Flüchtlinge — das verfolgte
Wild „wechselt schneller" über den „Hohlweg". Aber was kann der „Sinnende" tun, wenn die Isolation auf ihn zukommt und seine Ausdrucks-
möglichkeiten schwinden? Obwohl Huchel 1955 noch ziemlich frei spre-

---

[10] *Der Garten des Theophrast, Chausseen Chausseen,* S. 81.

chen und schreiben konnte, ahnte er doch „was noch die Nacht verschweigt". Huchel gibt die Antwort: er muß „andere Spur" suchen, d. h.
er wechselt nicht wie das Wild über den „Hohlweg", er wählt nicht die
Flucht, so wie Bloch zu diesem Zeitpunkt die Flucht noch nicht gewählt
hatte, sondern geht am Hohlweg „still" vorbei, um sich in sich selbst und
seinen engsten Kreis zurückzuziehen.[11] Nur seine Gedanken schickt er
„wie der Vögel Reise" auf den Weg, den er selbst nicht gehen will. Was
bleibt, ist die Dichtersprache, das „Wort", das vielleicht noch „Brot und
Salz", Nahrung und Würze derer werden kann, die es erreicht.

Soweit eine kurze Darstellung der Oberflächenbedeutung des Gedichtes.
Sie ist nicht mehr als ein erster Einstieg. Gehen wir den einzelnen Bildern
nach, die an *Zwölf Nächte* erinnern. In beiden Gedichten ist von Dämmerung die Rede, die der Nacht vorausgeht. In *Zwölf Nächte* wird die
Dämmerung zur Hülle des Unheimlichen, sie hallt von geisterhaften Stimmen, „die nie ein Ohr erlauscht" — sie rückt damit in die Sphäre des
Numinosen. In *Widmung* wird ähnliches durch ein kosmisch-visionäres
Bild erreicht, nämlich durch die Vervielfältigung der „dämmernden Sonnen". Den Unhörbaren im ersten Gedicht entsprechen die schweifenden
„Unsichtbaren" im zweiten — die Erinnerung an die Wilde Jagd ist, obwohl kaum ausgesprochen, also noch wach. Zu dieser Evozierung des
alten Mythos passen auch der die Beute heimschleppende Jäger und der
aus fernen Jahren hallende Schuß. Unübersehbar sind die Anspielungen
auf ein frühes politisches Gedicht — 1933 —, das in ganz ähnlichen Bildern und Worten das Hereinbrechen der Nacht des Nationalsozialismus
zum Thema hat:

---

[11] Dieser Gedanke findet eine spätere Entsprechung in dem Gedicht *Exil*:
   Am Abend nahen die Freunde,
   Die Schatten der Hügel.
   Sie treten langsam über die Schwelle,
   Verdunkeln das Salz,
   Verdunkeln das Brot,
   Und führen Gespräche mit meinem Schweigen.

   Geh mit dem Wind,
   Sagen die Schatten.
   [...]
   Geh fort, bevor im Ahornblatt
   Das Stigma des Herbstes brennt.
   Sei getreu, sagt der Stein [...]
                         (*Gezählte Tage*, S. 11)

Späte Zeit
Still das Laub am Baum verklagt.
Einsam frieren Moos und Grund.
Über allen Jägern jagt
hoch im Wind ein fremder Hund.
Überall im nassen Sand
liegt des Waldes Pulverbrand,
Eicheln wie Patronen.
Herbst schoß seine Schüsse ab,
leise Schüsse übers Grab.
Horch, es rascheln Totenkronen,
Nebel ziehen und Dämonen.[12]

In diesem Zusammenhang fällt auch das 1939 geschriebene Gedicht *Deutschland III*, dessen erste Strophe hier zitiert sei:

Welt der Wölfe, Welt der Ratten.
Blut und Aas am kalten Herde.
Aber noch streifen die Schatten
der toten Götter die Erde.[13]

Für Bloch, der mit Huchel befreundet war und sein Werk gut kannte — erinnert sei an das dieser Arbeit vorangestellte Zitat von Walter Jens — mußten diese Anspielungen auf die heimlich unter Hitler geschriebenen und das Hitlerregime anprangernden Gedichte ebenso unüberhörbar sein — zu deutlich formen sie mit *Widmung* eine Gruppe, geschieht es doch in *Widmung* das einzigemal, daß Huchel nach *Späte Zeit, Nächtliches Eisfenster* [14], *Zwölf Nächte* und *Deutschland III* die Wilde Jagd als Analogon heranzieht. Er weist damit implicite auf die Gemeinsamkeiten zwischen dem Dritten Reich und der DDR des Jahres 1955.

War in *Zwölf Nächte* die eisige Kälte durch den spukhaft wehenden weißen Mond nur andeutend an das kosmische Geschehen gebunden, so ist diese Bindung in *Widmung* voll ausgeprägt: die Kälte zieht in der „Drift des Alls" herauf und wird so mythisierend ins Unausweichlich-Schicksalhafte überhöht.[15] Die Bindung an das komische Geschehen ist von nun an bestimmendes Merkmal von Huchels Eiszeitmythos:

Nur die Toten [...]
sehen

---

12 *Die Sternenreuse*, S. 75.
13 ibid., S. 80.
14 *Die Sternenreuse*, S. 61.
15 Zur kosmisch mythisierenden Metapher vgl. Pongs, op. cit. S. 290—291.

Den eisigen Schatten der Erde
Gleiten über den Mond.
Sie wissen, *dieses wird bleiben.*[16]

So sagt Huchel in *Das Zeichen* und hält damit in einer apokalyptischen
Vision den Lauf der Gestirne an. Auch in anderen Gedichten erhält die
Sternenmetaphorik, die wir in früheren Gedichten als Zeichen der Hoffnung antrafen, eine neue Funktion, die der ehemaligen völlig entgegen-
steht:

Schon in die Nacht gebeugt,
Ins eisige Geschirr,
Schleppt Hercules
Die Kettenegge der Sterne
Den nördlichen Himmel hinauf. [17]

Aber es geschieht nicht nur in Selbstzitaten, daß sich Huchel versteckt
den Eingeweihten kenntlich macht. Dazu tritt das eigentliche Zitat, über
das wir nun zur Dritten und verborgensten Schicht von *Widmung* vordringen. In der fünften Zeile der zweiten Strophe treffen wir auf die in
Huchels Werk nur hier vorkommende Chiffre vom „goldnen Rauch".
Unzweifelhaft ist der Rauch, der an jeder anderen Stelle etwas Böses,
Drohendes meint, in diesem Gedicht durch das Adjektiv „golden" in
etwas Positives, Bewahrendswertes verkehrt, das, auch bei oberflächlicher
Betrachtung, auf das stürzende „Feuerbild" der ersten Strophe zurückweist. Eine Vertiefung dieser neuen Beleuchtung erhalten Chiffre und Gedicht darüber hinaus, wenn der „goldne Rauch" zu seinem Ursprung zurückverfolgt wird. In seinem großen vaterländischen Gesang *Germanien*
schreibt Hölderlin:

Denn voll Erwartung liegt
Das Land und als in heißen Tagen
Herabgesenkt, umschattet heut
Ihr Sehnenden! uns ahnungsvoll ein Himmel.
Voll ist er von Verheißungen und scheint
Mir drohend auch [. . .]
Entflohene Götter! auch ihr, ihr gegenwärtigen damals
Wahrhaftiger, ihr hattet eure Zeiten!

Nichts läugnen will ich hier und nichts erbitten.
Denn wenn es aus ist, und der Tag erloschen
Wohl trifft's den Priester erst, doch liebend folgt

---

[16] *Das Zeichen, Chausseen Chausseen*, S. 9. Hervorhebung vom Autor.
[17] *Unter dem Sternbild des Hercules, Gezählte Tage*, S. 9.

Der Tempel und das Bild ihm auch und seine Sitte
Zum dunkeln Land und keines mag noch scheinen.
Nur als von Grabesflammen, ziehet dann
Ein goldner Rauch, die Sage drob hinüber,
Und dämmert jetzt uns Zweifelnden um das Haupt,
Und keiner weiß, wie ihm geschieht.[18]

Walther Killy bringt Hölderlins Chiffre vom ‚goldnen Rauch‘, die noch einmal in der Hymne *Patmos* vorkommt, mit einem anderen Gedicht Hölderlins — *Lebensalter* — in Verbindung und zitiert daraus die folgenden Zeilen:

Euch hat die Kronen,
Dieweil ihr über die Gränze
Der Othmenden seid gegangen,
Von Himmlischen der Rauchdampf und
Hinweg das Feuer genommen;

und er erläutert die Chiffre dann wie folgt:

Das *himmlische Feuer* ist [...] eine komplexe Hölderlinsche Chiffre. Es glüht in der Brust der Männer, wenn es den Himmlischen Platz auf Erden zu schaffen gilt; es kommt als Zeichen Gottes. Es wird in der Flamme des Tempels zu dauernder Verehrung unterhalten; aber es bedarf, wie alles Himmlische, der Pflege und Wartung [...]. Wenn das Himmlische Feuer schließlich selbst (schwindet), so bleibt doch der goldne Rauch zurück; er weht über die Berge der Zeiten hinweg zu uns. Er ist die Sage, die uns das Andenken an die nun vergangene Gegenwart himmlischen Feuers dämmerhaft überliefert.[19]

Mit diesem Verweis auf das in manchen Zügen ähnliche Mythensystem[20] Hölderlins — so ähnlich, daß sich Killys Worte ohne Einschränkung hier auf Huchel übertragen lassen — gelingt es Huchel, eine Vielfalt von Themen anzuschlagen, die wir zwar in großen Umrissen im Gedicht schon erkannten, denen aber die über das Politische hinausgehende übergreifende Vorstellung noch kaum anzusehen war. Diese übergreifende Vorstellung ist der zu Eingang dieses Kapitels erwähnte Mythos von der

---

[18] Zitiert nach der *Großen Stuttgarter Hölderlin-Ausgabe,* hrsg. von Friedrich Beißner, Stuttgart 1951, Bd. 2, 1, S. 149.

[19] *Wandlungen des lyrischen Bildes,* op. cit. S. 44.

[20] Auffallendste Gemeinsamkeiten sind die Vorstellung einer durch den Auszug des Göttlichen bedingten Verarmung der Welt im Bilde des Einbruchs von Dunkelheit und Kälte, die Wende zum Süden und zur klassischen Mythologie sowie die nur systemimmanent erklärbare Chiffrensprache.

Verarmung der Welt, die sich nun als durch den Auszug des Göttlichen
bedingt erweist.

Denn es ist ja keineswegs so, als sei Huchels Verwendung gewisser
Symbole und Chiffren wie Nacht, Eis, Totenwelt, Rauch und deren
Mythisierung allein auf das Politische bezogen. Zwar haben wir Huchel
bisher fast ausschließlich so interpretiert und finden uns damit in Gesellschaft fast aller Kritiker, die sich ernsthaft mit Huchel beschäftigt haben.
Das hieße aber die Frage: hätte Huchel unter anderen politischen Umständen sich ganz anderen Themen zugewandt und sich anderer Tech-
niken bedient uneingeschränkt mit ja beantworten. Huchel selbst hat sich
nie direkt zu dieser Frage geäußert und es bleibt abzuwarten, welche
Richtung seine Produktion nehmen wird, wenn in seinem neuen Heim
im Schwarzwald die Erinnerung an die Jahre in Wilhelmshorst verblaßt.
George Steiner spricht einmal mit leichter Ironie Ibsens Dramen die
Qualität des Tragischen mit den Worten ab: „Saner economic relations
or better plumbing can resolve some of the great crises in (his) drama" [21].
Man würde Huchels Bedeutung auf eine nur temporäre einschränken,
wollte man annehmen, daß dies auch auf ihn zutrifft. Zum Tragischen
gehört die Unausweichlichkeit eines vom Menschen nicht mehr beeinfluß-
baren Schicksals. In diesem Sinne wäre Huchels mythische Vorstellung
von der Verfinsterung und Vereisung der Erde im Gefolge kosmischer
Vorgänge nur dann tragisch zu nennen, wenn es auch in späterer Zukunft Unabänderliches meint. Daß dies aber der Fall ist, spricht sich in
der Chiffre vom ‚goldnen Rauch' aus. Denn so wie Hölderlin in seiner
Hymne *Germanien* nicht nur die politische Ohnmacht Deutschlands zu
Beginn des 19. Jahrhunderts beklagt — auch darauf spielt Huchel natürlich in seinem Zitat an — sondern auch den Auszug des Göttlichen, Heiligen aus dieser Welt, das nur noch einen Abglanz, eben den ‚goldnen
Rauch' zurückläßt, so wendet sich auch Huchel von der politischen zur
metaphysischen Anklage. Diese zweite, die existentielle Schicht, tut sich
ja auch in den im vorigen Kapitel auf ihre politisch-biographische Bedeutung hin analysierten Gedichten auf: in *Elegie* steht am Ende die leere,
abstoßende Transzendenz, in *Südliche Insel* weist Huchel auf den aus dem
Paradies verstoßenen, mühsam arbeitenden Menschen, den Bauern. In
Le Pouldu entgleitet der Mensch ebenfalls dem Schutze Gottes: „Herr, ich
bin Wasser in deiner Hand", — eine Anspielung auf Psalm 22: „Mein
Gott, mein Gott, warum hast du mich verlassen? . . . Ich bin ausgeschüttet
wie Wasser"; der berühmte in Le Pouldu gemalte Gekreuzigte, der „Gelbe

---

[21] George Steiner, *The Death of Tragedy.* London 1961, S. 8.

Christus" Gauguins, „neigt sein Haupt" ohnmächtig — es sind ja auch
die Verzweiflungsworte Christi am Kreuz — vor dem heranflutenden
Dunkel. — Die politische Dunkelheit erweist sich hier also als Folge der
existentiellen Dunkelheit: der Gottverlassenheit des Menschen.

In diesem Zusammenhang muß nun auch das am Himmel stürzende
„Feuerbild" der ersten Zeilen von *Widmung* gesehen werden: als „Feuer"
der „Himmlischen", so wie auch in dem späten Gedicht *Ankunft*, wie wir
sahen, das nicht mehr angezündete Feuer ein göttliches war. Hölderlin
verspricht die Rückkehr des Göttlichen, Guten zur „Priesterin", der Erde
Germaniens, und das Wort „ahnen" oder „Ahnung" umschreibt dreimal
das sichere Gefühl dieser Rückkehr, in Zeile 9, 54 und 79 des Gedichtes:

> [...]
> So ist von Lieben und Leiden
> Und voll von Ahnungen dir
> Und voll von Freuden der Busen.
>
> O trinke Morgenlüfte,
> Biß daß du offen bist,
> Und nenne, was vor Augen dir ist,
> Nicht länger darf Geheimniss mehr
> Das Ungesprochene bleiben,
> Nachdem es lange verhüllt ist;
> [...]
> Wo aber überflüssiger, denn lautere Quellen
> Das Gold und ernst geworden ist der Zorn an dem Himmel,
> Muß zwischen Tag und Nacht
> Einsmals ein Wahres erscheinen. (78—93)

Diese Gewißheit hat Huchel nicht. Bei ihm „ahnt" der „Sinnende" die
endgültige Verfinsterung und Vereisung, die Entgötterung der Welt. Wie
Huchel in *Ankunft* die Vorlage aus Jesaja dahingehend änderte, daß die
prophezeihte bessere Zukunft in Frage stellt und die „prächtige" Krone
zur ,verlorenen' wurde, so bedient er sich auch hier der Umänderung bis
ins einzelne Wort hinein, in diesem Fall besonders der Transposition des
Wortes ,ahnen' von der positiven zur negativen Erwartung, als eines
Mittels, die Ausweglosigkeit durch den Kontrast mit der optimistischeren
Vorlage zu erhöhen. Was bei Hölderlin Zwischenphase war, die Ver-
dunkelung der Welt in der Gottesferne, wird bei Huchel zur Dauer. Der
Trost jedoch, den Hölderlin für die Zeit gibt „wenn es aus ist, und der
Tag erloschen", bleibt auch für Huchel noch als ein Letztes bestehen. Als
den Götterbote, der Adler, in *Germanien* davonflog, „ließ (er) am Mittag

scheidend dir ein Freundeszeichen, Die Blume des Mundes zurück und du redetest einsam". Gemeint ist das die Erinnerung an das dahingegangene himmlische Feuer bewahrende Dichterwort, das allein, in dunkler Stunde, noch „Brot und Salz" werden kann.

Alfred Kantorowicz, der das Gedicht kurz erwähnt, gesteht Huchel noch einen darüber hinausgehenden Optimismus zu:

> Das Ernst Bloch gewidmete Gedicht bewahrt die Hoffnung, daß es zu seinen Lebzeiten noch tagen und daß nach der abermaligen Verfrostung das Tauwetter sich durchsetzen werde. Natürlich sind solche profanen politischen Begriffe poetisch verfremdet.[22]

Von einer solchen Hoffnung läßt sich wenig spüren. Außerdem wird Kantorowicz, dadurch daß er die Bedeutung des Gedichtes auf das Politische beschränkt, Huchel hier nicht gerecht. Verständlich ist diese Einschränkung jedoch. Denn, daß sich in der Chiffre vom ‚goldnen Rauch' und dem Verschwinden des Feuerbildes tatsächlich ein Auszug des Göttlichen ausspricht, bekräftigen allerdings erst die Gedichte der letzten Jahre und unter diesen am eindruckvollsten das schwierige *Die Gaukler sind fort.*

DIE GAUKLER SIND FORT. Sie gingen
lautlos dem weißen Wasser nach.
Der Fähnrich und das Mädchen,
Der bucklige Händler mit Ketten und Ringen,
Sie alle sind fort.
Es blieb der Hügel,
Wo sie sich trafen,
Die Eiche, mächtig gegabelt,
In grüner Wipfelwildnis.

Mittags,
Unter der Wärme des Steins,
Hörst du Orgelklänge,
Und eine Maske, maulbeerfarben,
Weht durchs Gebüsch.

Die Eiche, mächtig gegabelt,
Die den Donner barg —
In morscher Kammer des Baums
Schlafen die Fledermäuse,

---

[22] A. Kantorowicz, op. cit. S. 172.

Drachenhäutig.
Die hochberühmten Gaukler sind fort.[23]

Die Frage, die sich sofort stellt ist: Wer sind die durch den bestimmten Artikel so präzise genannten „hochberühmten Gaukler"? Wer sind der „Fähnrich", das „Mädchen" und der „bucklige Händler"? Im Rückblick auf die bisher behandelten Gedichte ist man geneigt anzunehmen, es müsse sich auch hier um eine eindeutige Anspielung auf eine literarische oder mythologische Quelle handeln. Dies scheint nicht der Fall, wie auch Rudolf Hartung bestätigt, der das Gedicht in der *Neuen Rundschau* veröffentlichte und dazu mitteilte „eine genaue Entzifferung (sei ihm) auch leider nicht möglich" [24]. Das läßt den Schluß zu, daß es sich bei der direkten Nennung der Figuren um einen magisch-schöpferischen Akt handeln muß, der, wie Hugo Friedrich in seiner Analyse der Funktion des bestimmten Artikels feststellt, dem Märchen verwandt, „alle Elemente [...] in der sprachlichen Bestimmtheit (ausspricht), so als ob man sie schon lange kennen müßte" [25]. Und in der Tat eignet diesen drei Figuren und dem Ort „wo sie sich trafen", dem Hügel mit der alten Eiche, der ,maulbeerfarbenen Maske' und den ,drachenhäutigen Fledermäusen' etwas märchenhaft Archetypisches an, das sie mit einer gewissen Hoheit umgibt. Schon allein das für Huchel ganz ungewöhnliche graphische Bild — die Hereinnahme des Titels in die erste Zeile und dessen Großschreibung — erhöht die Gestalten und gibt ihrem Verschwinden eine ganz besondere Emphase.

Der Gaukler, in der Gestalt des Hofnarren oft ein Buckliger oder ein Zwerg, das ist zunächst der ernsthafte Spaßmacher, der hinter der ,Maske' der Narrheit die Wahrheit aussprechen kann. Der Gaukler hat aber auch eine primitive Nähe zur Welt, er ist noch nicht durch den Intellekt von ihr getrennt, er ist ,unschuldig' und so der mittelalterlich-christlichen Vorstellung vom reinen Toren verwandt. Daß die Gaukler im Gedicht dem „weißen Wasser" nachfolgen — weiß sowohl als auch Wasser uralte Symbole der Unschuld und Reinheit — erlaubt es, sie in diesem Zusammenhang zu sehen. Dabei ist wichtig, daß Huchel das „weiße Wasser" noch einmal in einem Gedicht erwähnt, das ebenfalls die Offenbarung des Göttlichen im Tempel der mittäglichen Natur zum Thema hat, *Haus bei Olmitello* [26]; dort weisen die letzten beiden Zeilen auf den „Himmel" mit den Worten:

23 Veröffentlicht in *Die Neue Rundschau*, op. cit. S. 236, jetzt in *Gezählte Tage*, S. 12.
24 Brief vom 26. 3. 1971.
25 Hugo Friedrich, op. cit. S. 161.
26 *Chausseen Chausseen*, S. 18.

Aber das weiße Wasser der Felsen
Trug den Himmel.

Weitere Assoziationen drängen sich auf: Von buckliger Gestalt war
auch der Feenkönig Oberon, der sich in dem altfranzösischen Epos ,Huon
de Bordeaux' als Freund und Helfer des Menschen unter einer Eiche
zeigte und in Deutschland durch Wielands ,Oberon' und Karl Maria von
Webers gleichnamige Oper bekannt wurde. Auch in Shakespeares ,Som-
mernachtstraum' ist es die Eiche, unter der sich Oberon einfindet. Von der
von den Gauklern zurückgelassenen ,Maske' verleitet, könnte man auch
an Typenfiguren der Commedia dell' arte oder der Operette denken,
wenn nicht gar an das sich hinter der Maske aussprechende göttliche
Orakel. Nun wäre es müßig, den bucklien Händler mit Ketten und Ringen auf eine dieser Bedeutungen festlegen zu wollen, noch weniger gelänge
dies bei Fähnrich und Mädchen. Auch eine Interpretation als Gottvater,
Gottsohn und Ecclesia wäre nichts als Spekulation. Nur soviel scheint
sicher: sie alle, der Bucklige, der mit Schmuck handelt, der Fähnrich und
das Mädchen, die an Jugend und Liebe denken lassen, gehören zu einem
Bereich des Zauberisch-Heiteren, ja des Heilig-Unschuldigen, dessen Auszug das Gedicht beklagt.

Noch mehr als in den Personen drückt sich das sakrale Element in der
Beschreibung des Ortes aus, „wo sie sich trafen". Es ist ein heiliger Hain,
in dessen Mitte die Eiche steht, „die den Donner barg". Die Eiche ist in
vielen Religionen und Mythen von allen Bäumen der heiligste. Der ,Don-
nerer' Zeus machte seinen Willen durch das Rauschen der Eiche bekannt,
in der germanischen Mythologie war dem Gewittergott Thor die Eiche
geweiht, sie ist auch der heilige Baum des baltischen Gewittergottes Per-
kunas. Im Alten Testament ist die Eiche ein häufig genannter Baum.[27] Die
symbolische ,Deutsche Eiche', die nun, nach Auszug des Göttlichen, von
innen her verfault, mag ebenfalls hineinspielen.

Wie in *Widmung* der vom Baum fahrende „goldne Rauch" noch einen
Abglanz des stürzenden Feuerbildes bewahrte, so erinnern hier die „Orgelklänge" unter „der Wärme des Steins" und die durchs Gebüsch wehende
maulbeerfarbene Maske — in Rom war die Maulbeere der Göttin der
Weisheit, Minerva, geweiht, Jehova macht sich im Rauschen der Maul-
beerblätter kund (2. Samuel 5, 23; 1. Chronik 14, 14) — noch an die ver-
schwundenen Gaukler. Daß diese Erinnerung nur „mittags" in der

---

[27] Zur Bedeutung der Eiche vgl. den Artikel ,Oak' in Funk & Wagnalls
Standard Dictionary of Folklore, Mythology and Legend, vol. II, New York
1950, S. 806 f.

„Wärme" erlebbar ist, stellt die Verbindung her zu Huchels Eiszeit- und Verfinsterungsmythen und ihren Gegenbildern Licht und Feuer. Der ‚Stein' übrigens, anders als etwa bei Paul Celan, wo er „Chiffre für die Last, an der die Zeit und an der jeder einzelne trägt"[28] ist, steht bei Huchel, ähnlich wie die Wurzel, als Chiffre des Bewahrenden und Zuflucht-Gewährenden im Fluß einer gehetzten Zeit. Wir zitierten schon *Exil*, wo es hieß: „Sei getreu, sagt der Stein". Andere Beispiele sind *Thrakien*:

> Hebe den Stein nicht auf,
> Den Speicher der Stille.
> Unter ihm verschläft der Tausendfüßler
> Die Zeit.[29]

und *Verona*, wo die Zeit sich im Wasser symbolisiert:

> Die Brücke behütet den Schwur.
> Dieser Stein
> Im Wasser der Etsch,
> Lebt groß in seiner Stille.[30]

Nach dem Auszug des Göttlichen ist das verlassene Heiligtum von drachenhäutigen Fledermäusen bewohnt. Wir zitierten die letzten Zeilen schon im vorigen Kapitel, als wir sie in Parallele setzten zu den Schlußzeilen von *Elegie*:

> Die Knaben warten
> Mit leeren Netzen
> Und Läusen im Haar.

und als Gemeinsamkeit eine in ihnen ausgedrückte Verarmung und Verhäßlichung feststellten. Erwies sich dort die Verarmung als ‚leere', ja abstoßende Transzendenz, so ist es hier die in dem Verrotten des Bauminnern angedeutete Leere der Welt und deren von den Fledermäusen evozierte Unheimlichkeit. Auch in dem früheren Gedicht *Die Pappeln* stehen Fledermäuse als drohende Geschöpfe des ‚Schattens' am Ende, nur daß sie dort noch optimistisch von der aufgehenden Sonne überwunden werden:

> Die rußige Schmiede des Alls
> Beginnt ihr Feuer zu schüren.

---

[28] Kurt Oppens, Gesang und Magie im Zeitalter des Steins. Zur Dichtung Ingeborg Bachmanns und Paul Celans. *Merkur* 17, 1963, S. 181.

[29] *Chausseen Chausseen*, S. 14.

[30] ibid., S. 15.

Sie schmiedet
Das glühende Eisen der Morgenröte.
Und Asche fällt
Auf den Schatten der Fledermäuse.[31]

Aber erst der Rückblick auf das noch frühere Gedicht über den Tod des Knechtes *Bartok*[32] erweist die Fledermäuse als das, was sie wirklich sind: als dämonische Totentiere, dem Zeichen von der ‚Krähe' verwandt, aber ins Unheimliche gesteigert, die „abends" über den „Rauch" des Toten-flusses flattern:

> [...]
> Nur der Alte ist tot und fort.
> Auf dem Brette über dem Herd
> trocknen noch seine Kürbiskerne.
> Aber ein andrer schirrt morgens das Pferd,
> dengelt und wetzt und senst die Luzerne.
> Hinter dem nebelsaugenden Strauch
> wartet verlassen die Weidenreuse.
> Abends, über des Flusses Rauch,
> flattern wie immer die Fledermäuse.

An dieser Stelle muß an einen Satz von Novalis und an ein Epigramm von Ernst Jünger erinnert werden, die beide auf Huchels Vorstellung einer Entgötterung und der Existenz einer dämonisierten Totenwelt ein klareres Licht werfen. Novalis hatte in seinem Fragment „Die Christen-heit oder Europa" gesagt: „Wo keine Götter sind, walten Gespenster." Wie auf *Die Gaukler sind fort* gemünzt, variiert Ernst Jünger diesen Gedanken: „Die verfallenen Altäre sind von Dämonen bewohnt." Karl S. Guthke, der in seiner Studie *Die Mythologie der entgötterten Welt* die Bedeutung dieser Sätze für die Entwicklung des Satanismus und der Pri-vatmythologie ‚von der Aufklärung bis zur Gegenwart' verfolgt, ohne bis zu Huchel zu gelangen, kommentiert sie wie folgt:

> Aus dem Nichts, das entstand durch das Entschwinden Gottes aus der Welt der Erfahrung und des Glaubens, tauchen Dämonen auf [...]. Aus der Vision des Nichts (wird) rasch eine Vision Gottes [...], aber eines Gottes, der der Teufel ist: die Geburt des Mythos des Bösen aus dem Geist des Nichts.[33]

---

[31] *Chausseen Chausseen*, S. 66.

[32] *Die Sternenreuse*, S. 19.

[33] Karl S. Guthke, *Die Mythologie der entgötterten Welt*. Göttingen 1971, S. 96 f. — Das Novalis-Zitat aus: Novalis, *Schriften*, hrsg. v. Paul Kluckhohn und Richard Samuel, 2. Aufl. Stuttgart 1960 ff., III, S. 520. — Das Jünger-Zitat aus: Ernst Jünger, *Werke*, Stuttgart o. J., VIII, S. 647.

Schon in *Widmung* hatten wir nach Verschwinden des himmlischen ‚Feuerbildes' die Dämonen in Gestalt der „Unsichtbaren" aufstehen sehen. Daß aber auch das Element des Satanismus, des Gottes in Teufelsgestalt, Huchel nicht fremd ist, beweisen zwei Gedichte, *Haus bei Olmitello* und *Die Engel*, die sich wie These und Antithese gegenüberstehen. Dort erhebt sich die Vision des Bösen aus dem Nichts und wirft seinen Schatten auf die Lebenden. Dies ist die Bedeutung der Rauch- und Nebelchiffren, die es nun noch in den umgreifenden Mythenkomplex der Verarmung der Welt einzugliedern gilt, bevor die Ergebnisse dieses Kapitels zusammengefaßt werden sollen.

Die Engel

Ein Rauch,
Ein Schatten steht auf,
Geht durch das Zimmer,
Wo eine Greisin,
Den Gänseflügel
In schwacher Hand,
Den Sims des Ofens fegt.
Ein Feuer brennt.
Gedenke meiner,
Flüstert der Staub.

Novembernebel, Regen, Regen
Und Katzenschlaf.
Der Himmel schwarz
Und schlammig über dem Fluß.
Aus klaffender Leere fließt die Zeit,
Fließt über die Flossen
Und Kiemen der Fische
Und über die eisigen Augen
Der Engel,
Die niederfahren hinter der dünnen Dämmerung,
Mit rußigen Schwingen zu den Töchtern Kains.

Ein Rauch,
Ein Schatten steht auf,
Geht durch das Zimmer.
Ein Feuer brennt.
Gedenke meiner,
Flüstert der Staub.[34]

---

[34] *Gezählte Tage*, S. 63.

Wir werden in diesem Gedicht Zeuge einer Entleerung des Himmels —
eines Himmels, der nichts Tröstliches oder Hoffnungsvolles mehr hat,
sondern „schwarz" und „schlammig" über dem Fluß steht. Ist schon durch
den wiederholt genannten Regen oben und unten in eins verschwommen,
so erreicht Huchel, dadurch, daß er die Adjektive, die sich auf den Fluß
beziehen, auf den Himmel überträgt, daß dieser Himmel die Erde nur
noch spiegelt, er also seiner Transzendenz und seines Gegenbildes beraubt
wird. Dies war auch in der *Elegie* geschehen und zwar durch dieselbe
Technik: Die Übertragung der Seefahrt auf die Totenreise durch die Wolken, die in eine verhäßlichte Leere führte. Hier wie dort erscheint dann
auch das Wort ‚leer‘. Huchel setzt nun in *Die Engel* diese Technik der
Überblendung fort und verschmilzt, wie am Anfang der Mittelstrophe
Himmel und Erde, an ihrem Ende Fluß und Zeit. Beide fließen aus „klaffender Leere", d. h. aus einem leeren Himmel, der wie ein Rachen oder
ein Abgrund weit aufgerissen ist. Stellt sich auf diese Weise schon die
Assoziation zu ‚Hölle‘ ein, so werden die letzten Zeilen der Mittelstrophe
vollends zur apokalyptischen Untergangsvision. Denn die „hinter der
dünnen Dämmerung" niederfahrenden Engel des Gedichtes sind nichts
anderes als die zu Teufeln gewordenen Racheengel, die in der Vision vom
Jüngsten Gericht im Buch der Offenbarung erscheinen:

> 8.10 Und der dritte Engel posaunte; und es fiel ein großer Stern vom
> Himmel, der brannte wie eine Fackel und fiel auf den dritten Teil
> der Wasserströme und über die Wasserbrunnen.
>
> 11 Und der Name des Sterns heißt Wermut; und der dritte Teil der
> Wasser ward Wermut und viele Menschen starben von den Wassern.
>
> 9. 1 Und der fünfte Engel posaunte; und ich sah einen Stern gefallen vom
> Himmel auf die Erde, und ihm ward der Schlüssel zum Brunnen des
> Abgrunds gegeben.
>
> 2 Und er tat den Brunnen des Abgrunds auf; und es ging auf ein Rauch
> aus dem Brunnen wie ein Rauch eines großen Ofens, und es ward ver-
> finstert die Sonne und die Luft von dem Rauch des Brunnens.

Die Luther-Bibel verweist an dieser Stelle auf Jesaja 14, 11—12:

> Deine Pracht ist herunter in die Hölle gefahren samt dem Klange deiner
> Harfen. Maden werden dein Bett sein und Würmer deine Decke. Wie bist
> du vom Himmel gefallen, du schöner Morgenstern! Wie bist du zur Erde
> gefällt [...].

Der hier bei Jesaja genannte ‚Morgenstern‘ wird sowohl im jüdischen
als auch im christlichen Glauben als „Luzifer", eine direkte Übersetzung
des hebräischen Wortes für ‚Morgenstern‘, gedeutet. So spricht Martin
Buber, unter Bezug auf diese Jesaja-Stelle, von dem Stern als „Luzifer,

Sohn der Morgendämmerung"[35], ein Bild das der „dünnen Dämmerung"
im Gedicht unterliegen könnte. Den Engeln „mit den rußigen Schwingen"
entspräche dann der Stern, „der brannte wie eine Fackel".

Durch einen weiteren Bibelverweis ist die Vision der Tod und Untergang bringenden Racheengel wiederum in den größeren Zusammenhang
von Sünde und Bestrafung gestellt, den wir schon bei dem im letzten
Kapitel behandelten Gedicht *Ankunft* in der Zerstörung ‚Ephraims' gegeben sahen. Denn in dem Bild von einem aus dem Ofen steigenden Rauch
wird auch die Vertilgung Sodoms und Gomorras geschildert:

> Abraham aber machte sich des Morgens früh auf an den Ort, da er gestanden
> vor dem Herrn,
> Und wandte sein Angesicht gegen Sodom und Gomorra und alles Land der
> Gegend und schaute; und siehe, da ging ein Rauch auf vom Lande wie ein
> Rauch vom Ofen.[36]

So spielt auch hier wieder der Gedanke an das Schicksal Deutschlands
herein.

Noch einmal bedient sich Huchel der Veränderung seiner Vorlage, um,
gegenüber der Quelle, die Verzweiflung in seinem Gedicht zu vertiefen:
Die Menschheit wird im Gedicht von den „Töchtern Kains" repräsen-
tiert. „Töchter Kains" werden jedoch in der Bibel nicht erwähnt. Sowohl
Adam als auch Kain erzeugten Kinder, aus denen „die Töchter der Menschen" (1. Mose 6.2) hervorgingen:

> Da sahen die Kinder Gottes nach den Töchtern der Menschen, wie sie schön
> waren, und nahmen zu Weibern welche sie wollten.

Im Gedicht aber sind alle Menschen zu Töchtern Kains geworden, alle
tragen sie das Zeichen; sie werden nicht von den in Genesis als gut verstandenen ‚Kindern Gottes'[37] heim g e f ü h r t , sondern heim g e s u c h t
von den ins Satanische gewendeten Engeln mit den „eisigen Augen".

Wie ein Triptychon wird die Mittelstrophe eingerahmt von den ein
bedrohliches Eigenleben gewinnenden „Schatten" und „Rauch". Während
diese jedoch in der ersten Strophe noch ganz konkret genommen werden
können — als Ofenqualm, Nebel und Regen — so werden sie, nach dem
Durchgang durch die die Entgötterung vollziehende Mittelstrophe, am

---

[35] Martin Buber, *Werke*, München 1962, Bd. I, S. 637.

[36] 1. Mose 19.27—28.

[37] Es erübrigt sich hier, auf die theologische Kontroverse über das Wesen der
‚Kinder Gottes' einzugehen. Sie trägt nichts Weiteres zum Verständnis des Gedichtes bei.

Ende erhöht zu Personifikationen des Numinosen, zu Dämonen, die aus
dem Nichts ‚aufstehen', einem Nichts, das — bezogen auf Offenbarung 9,2
— zum „Brunnen des Abgrunds", zur Hölle geworden ist, aus der der
„Rauch eines großen Ofens" aufgeht.

Nun wäre es falsch, Huchel so zu verstehen als präsentiere er hier die
Dämonen als Dämonen[38] und den Rauch als Höllenrauch. Der zu Dämonen verlebendigte Rauch, Schatten und Nebel — sie sind selbst wiederum
nur Zeichen für die Unheimlichkeit einer gottentleerten Welt, für das,
was Guthke als „mythische Verkörperungen des Widersinns" bezeichnet,
„den das in und hinter den Naturgesetzen wirkende Unbekannte immer
wieder im menschlichen Leben schafft"[39]. Nicht zufällig sind es gerade
Rauch und Schatten, die in ihrem ‚Aufstehen' zu Dämonen personifiziert
sind. Rauch, Schatten und Nebel sind das Verhüllende, das Undurch-
dringliche, das das „in und hinter den Naturgesetzen Unbekannte", den
Blicken entzieht und es eben dadurch noch unheimlicher und widersinni-
ger werden läßt. Auch die Engel fahren ja „h i n t e r der dünnen Dämmerung" nieder, es wird also der an sich schon unheimlichen Entleerung
des Himmels ein Schleier vorgelegt, der diese noch unheimlicher und un-
begreiflicher macht, da er sie menschlichen Augen und menschlichem Ver-
stand verhüllt aber doch ahnen läßt. Der geistige Zusammenhang der
Welt ist damit nicht nur unerfahrbar geworden, sondern zerstört worden
durch den Auszug des Göttlichen. Rudolf Nikolaus Maier hat vielleicht
am ausführlichsten auf die große Bedeutung des Rauch- und Nebel-
zeichens in der modernen Lyrik aufmerksam gemacht.[40] Er erwähnt als
Beispiel Ingeborg Bachmann, deren Zeile „Dein Blick spurt im Nebel"[41]
die Unbegreiflichkeit einer gottentleerten Welt auf die kürzeste Formel
bringt. Maier ist unserer Interpretation recht nahe, wenn er Nebel und
Rauch als Zeichen jenes Substanzverlustes der Wirklichkeit versteht, der
das fehlt, was er „das Band der liebenden Verbundenheit" nennt. Eine
derart sinnentleerte Wirklichkeit führt zu einer Welt, die „als aufgelöste
Konsistenz, als Nebel erfahren" wird. Ausgehend von Hofmannsthals
Chandos-Brief erkennt Maier, mit etwas anderen Worten, „die Angst
und das Entsetzen", die im Nichts lauern und sich im „Grotesken", das

---

[38] D. h. in der klassischen Bedeutung von ‚niederer Gott' und der christlichen
von ‚böser, heidnischer Gott'.

[39] Guthke, op. cit. S. 220.

[40] R. N. Maier, *Das moderne Gedicht*. Düsseldorf 1963², S. 43—54 passim.

[41] *Die Gestundete Zeit*. München 1957, S. 16.

wir in Huchels Dämonen personifiziert fanden, äußern. So schreibt Maier über Ingeborg Bachmanns *Nebelland* [42]:

> Seelische Verflüchtigung und seelische Verhärtung sind nur verschiedene Erscheinungsformen desselben Zustands. Sie erwecken eine Ahnung von dem bangniserregenden gläsernen Nebel, der mehr ist als Weltentzug, nämlich Welterstarrung, Weltverlust, Weltauflösung, Weltzersetzung. Schon spüren wir die versteckte Anwesenheit des ‚unheimlichsten aller Gäste‘ des grauen Nichts.[43]

Eine interessante Parallele zu den in der modernen Lyrik und speziell bei Huchel aufstehenden Rauch- und Nebeldämonen bietet Büchners *Woyzeck*. Die Stelle ist hier relevant, weil Büchner dasselbe Bibelzitat verwendet, um ebenfalls das Gefühl der Unbegreifbarkeit und Unheimlichkeit einer gottesfernen Welt ins Bild zu bringen, in der, wie die ‚Großmutter‘ in der Szene ‚Straße‘ in ihrem Märchen sagt, der Mond „ein Stück faul Holz" und die Sonne „ein verwelkt Sonneblum" ist:

> *Woyzeck* (geheimnisvoll). Marie, es war wieder was, viel — steht nicht geschrieben: Und sieh, da ging ein Rauch vom Land, wie der Rauch vom Ofen?
> *Marie.* Mann!
> *Woyzeck.* Es ist hinter mir hergangen bis vor die Stadt. Etwas, was wir nicht fassen, begreifen, was uns von Sinnen bringt.[44]

Endlich sagt es Huchel einmal ganz ausdrücklich, daß der ‚Nebel‘ einbricht als Folge des Ausbleibens Gottes. In dem Gedicht *November* [44a] bezieht er sich auf Hesekiel (II,1), dem Gott sich gezeigt hatte: „im dreißigsten Jahr, am fünften Tage des vierten Monats, da war ich unter den

---

[42] *Anrufung des Großen Bären*. München 1962, S. 34.

[43] Maier, op. cit. S. 47. Vgl. besonders Gottfried Benns Gedicht *In einer Nacht:*
> In einer Nacht, die keiner kennt,
> Substanz aus Nebel, Feuchtigkeit und Regen,
> [. . .]
> sah ich den Wahnsinn alles Liebs und Leids,
> [. . .]
> das niemals Gottgestützte [. . .]
> ach, diese Nebel, diese Kältlichkeit,
> dies Abgefallensein von jeder Dauer,
> von Bindung, Glauben, Halten, Innigkeit,
> ach Gott — die Götter! Feuchtigkeit und Schauer!

Gottfried Benn, *Gesammelte Werke* in vier Bänden, hrsg. von Dieter Wellershoff, Wiesbaden 1959, Bd. III, S. 319.

[44] Georg Büchner, *Sämtliche Werke*, hrsg. von Paul Stapf, Berlin 1963, S. 156.

[44a] *Gezählte Tage*, S. 61.

Gefangenen am Wasser Chebar, tat sich der Himmel auf, und Gott zeigte mir Gesichte“. Huchel macht aus dem Erscheinen Gottes ein Nicht-Erscheinen:

> Kein Himmel
> reißt in Feuern auf,
> wo die Gefangenen liegen
> am Wasser Chebar.

Die Esel, die sonst Christus trugen, bringen den ,Nebel‘, die Pinien, ebenfalls altes Christus-Symbol, bringen nicht Licht, sondern Finsternis:

> Die Esel tragen
> den Nebel in die Stadt.
> Die Pinien
> säen Finsternis.

Das Präsens in diesem Gedicht ist das der Dauer: das Heil kommt nie, denn das Unheil ist ein sich immer weiter vollziehendes — wir alle bleiben unerlöste Gefangene am Wasser Chebar und warten umsonst.

Wenden wir uns nun den noch nicht behandelten Elementen des Gedichtes *Die Engel* zu, der „Greisin“, dem „Feuer“, und dem flüsternden „Staub“, so müssen wir noch einmal weiter ausholen. Systemimmanent läßt sich die Funktion der „Greisin“ erkennen; sie erscheint nämlich auch in anderen Gedichten und zwar ebenfalls als mythische Hüterin des Feuers, die einen Zugang zur Totenwelt hat. Ihre Figur wird im nächsten Kapitel ausführlich behandelt, hier sei nur soviel zitiert, wie zum Verständnis des Gedichtes nötig ist.

> Am Abend hängt der Mond
> Hoch in die Pappel
> Das silberne Zaumzeug der Zigeuner [...]
>
> Eine Greisin,
> Die Stirn tätowiert,
> Geht durch die Schlucht [...],
>
> Nachts hebt sie aus dem Feuer
> Ein glimmendes Scheit.
> Sie wirbelt es über den Kopf,
> Sie schreit und schleudert
> Ins Dunkel der Toten
> Den rauchenden Brand.
> *(Schlucht bei Baltschik)* [45]

---

[45] *Chausseen Chausseen*, S. 30.

Diese Greisin ist verwandt mit der Parze, die in *Die Spindel* den Lebensfaden spinnt und abwickelt:

> Ich sehe sie spinnen,
> Die Alte,
> Am Küchenfeuer [...],
> Es surrt die Spindel hinter der Stirn
> Und wickelt
> Den Faden stürzender Jahre [...]
> Kienblakende Flamme schlägt hoch [...]
> Spindel am Hang,
> Dein Faden weht kalt.
> Aber ich trage glimmende Glut,
> Das Wort der Toten,
> Durchs Ahorndunkel der Schlucht.[46]

Die Gemeinsamkeiten der beiden letzten Gedichte sind unverkennbar. Die „Greisin" — die „Alte", das ‚glimmende Scheit' — die „glimmende Glut", das „Dunkel der Toten" — das „Ahorndunkel", und in beiden Gedichten die ‚Schlucht', die die Totenwelt von den Lebenden trennt. Allerdings ist die Greisin einmal das Leben erhaltende, mit dem Feuer verbundene, ein andermal das Leben fordernde Prinzip, das hinter dem Rauch der ‚kienblakenden Flamme' geheimnisvoll wirkt. Das Feuer trägt nun ein anderer. So scheinen Feuer und Flamme zweierlei ganz verschiedene Bedeutungen zu haben: wo sie rein brennen, repräsentieren sie ein gutes, wo sie blaken ein böses Element, nämlich den dämonischen Rauch, den Nebel. Wie hier in *Die Spindel* werden beide Elemente auch in dem bereits untersuchten Gedicht *Ankunft* kontrastiert in den Zeilen:

> Wer zündet im b l a k e n d e n Nebel
> Das F e u e r an?

und in *Das Gesetz* lautet eine Zeile:

> O Feuer ohne Rauch!

Ein drittes Gedicht, *Eine Herbstnacht*[47], spricht noch deutlicher aus, wer mit der ‚Alten', der ‚Greisin' gemeint ist:

> Durch Wasser und Nebel wehte dein Haar,
> Urfrühes Dunkel, das alles gebar,
> Meere und Flüsse, Schluchten und Sterne.

---

[46] *Chausseen Chauesseen*, S. 48.
[47] ibid., S. 52.

In der ursprünglich in *Sinn und Form* veröffentlichten Fassung[48] stand noch statt „urfrühes Dunkel" „uralte Mutter". Diese Urmutter ist hier ebenso wie in den griechischen Schöpfungsmythen identisch mit dem ursprünglichen Chaos.[49]. Die bedeutende Rolle, die sie in der Lyrik Huchels spielt — sie ist das einzige von ihm beim Namen genannte Schöpfer-Prinzip[50] — wird noch darzustellen sein. An dieser Stelle genügt es, die Urmutter auch in der „Greisin" zu erkennen, die in *Die Engel*, wenn auch schon schwach geworden, die Entleerung des Himmels überdauert, der eben durch diese Entleerung zu ihr, zum ursprünglichen Chaos zurückkehrt. So erklärt sich auch der „Gänseflügel", mit dem sie den Sims des Ofens fegt. Denn die Gans ist das Symbol der Urmutter:

> Die Gans aber bezeichnet das Wasser der Tiefe, mit andern Worten das mit Feuchtigkeit getränkte und durch sie geschwängerte Erdreich selbst. (Als Wassertier liebt) sie Schlamm- und Sumpfgründe, in welchen sich die Mischung von Erde und Wasser gewissermaßen verkörpert, und die eben darum als das Urchaos, aus welchem alles Leben hervorgeht, angesehen werden. [...] Sie ist der Erdstoff selbst, eine Darstellung der mütterlichen Materie.[51]

Ebenfalls übrig bleibt der „Staub", eine sinnentleerte Materie, die von der Urmutter zusammengefegt wird. — Bleibt noch eine Erinnerung an die Zeit, da der Staub noch gotterfüllt war, eine Erinnerung an das „Feuerbild", an die „Gaukler"? Das Gedicht schließt mit einer Mahnung, die so seltsam den christlichen vanitas- und memento-mori-Gedanken mitschwingen läßt: „Gedenke meiner".

Hat Huchel Gott aufgegeben? Oder leugnet er seine Gegenwart nur, um eben durch sein Leugnen die Epiphanie zu erzwingen? Guthke nennt dies „die Paradoxie des spätzeitlichen Glaubens", die darin besteht, „daß der Mensch [...], den nichtgeglaubten Gott doch anruft in der Hoffnung, daß er sich trotzdem zu erkennen geben, den Atheismus wider-

---

[48] 5. Jahrgang, 1953, 5. Heft.
[49] Vgl. Ranke-Graves, op. cit. S. 22.
[50] So auch in dem Gedicht *Heimkehr* (*Die Sternenreuse*, S. 92—93):
Da war es die Mutter der Frühe,
unter dem alten Himmel
die Mutter der Völker.
[51] Johann Jakob Bachofen, *Das Mutterrecht*, 3. Auflage, hrsg. von Karl Meuli, Basel 1948, S. 231—232. — Erich Neumann, in seinem umfangreichen Werk: *Die Große Mutter*, Zürich 1956, bringt das Bild einer frühen griechischen Aphrodite-Figur, die auf einer Gans reitet (Tafel 137).

legen möge"[52]. In einem lichtdurchströmten Italiengedicht, 1963 veröffentlicht, gibt es eine solche Epiphanie:

Haus bei Olmitello
Niemand sah den Engel der Frühe
Im Mantel salzigen Schaums.
Aber ein Duft von Meer und Algen
Trug den Himmel
Und kühlte die heiße Stirn der Boote.
Die Fischer löschten die Lampen.

Niemand sah den Engel der Frühe.
Das Schweigen trat aus dem Schatten
Der Pinien und ging durchs Tor:
Dich stürzt kein Tod hinaus.
Im Krug verglomm das Öl.
Aber das weiße Wasser der Felsen
Trug den Himmel.[53]

Weder Alfred Kantorowicz, noch Walter Jens, noch Peter Hamm, die
alle das Gedicht kurz erwähnen, berühren dessen religiöse Komponente,
da sie es ganz in einem politischen Sinne deuten. So schreibt Kantorowicz:

> Huchel wehrte sich gegen die Kritik der geistig und literarisch Unzustän-
> digen auf seine Weise. Sein ‚Schweigen trat aus dem Schatten', wie er es in
> seinem Gedicht ‚Haus bei Olmitello' ankündigt.[54]

Auch Peter Hamm meint, es scheine, „als habe Huchel dem öden
Schweigen der Geschichte nur noch sein eigenes Schweigen entgegenzu-
setzen"[55]; das ist mit anderen Worten genau das, was Kantorowicz gesagt
hatte. Einig sind sie sich auch darin, daß sie beide das Schweigen auf
Huchel, d. h. hier auf den Sprecher des Gedichtes beziehen. Ein genauerer
Blick auf den Text zeigt aber, daß dies nicht zulässig ist. So beweist zunächst innerhalb des Gedichtes selbst der Doppelpunkt, der in der zweiten Versgruppe die Zeilen abschließt, in denen das personifizierte Schweigen „aus dem Schatten" tritt, daß die nächste Zeile dieser Personifikation
in den Mund gelegt und an ein ‚Du' gerichtet ist, das mit dem eigentlichen ‚Ich', dem Sprecher des Gedichtes, übereinstimmt. Daher können
aber Sprecher und Schweigen nicht identisch sein. Bestätigt wird dies,
wenn wir jene Bibelstelle zu Hilfe ziehen, die Huchels Gedankengang

---

[52] Guthke, op. cit. S. 245.
[53] *Chausseen Chausseen*, S. 18.
[54] Kantorowicz, op. cit. S. 172.
[55] Hamm, op. cit. S. 487.

unterliegt und die uns sagt, wer sich hinter dem Schweigen verbirgt. Hesekiel schreibt über seine Vision vom neuen Tempel in Jerusalem, in den er von Gott geführt wird:

43.1. Und er führte mich wieder zum Tor gegen Morgen.
   2. Und siehe, die Herrlichkeit des Gottes Israels kam von Morgen und brauste wie ein großes Wasser braust; und es ward sehr licht auf der Erde von seiner Herrlichkeit.
   4. Und die Herrlichkeit des Herrn kam hinein z u m H a u s e d u r c h s T o r g e g e n M o r g e n.
   5. Da hob mich ein Wind auf und brachte mich in den inneren Vorhof; und siehe, die Herrlichkeit des Herrn erfüllte d a s H a u s.
   6. Und ich hörte einen mit mir reden vom Hause heraus, und ein Mann stand neben mir.

Dieser Mann ist Gott, der im Gedicht, im lichtdurchfluteten Süden aus dem „Schatten" tritt, der ihn bisher verborgen hatte, „durchs Tor" auf den Menschen zugeht und sein Schweigen, das schon die Psalmisten beklagen [56], mit der Verheißung bricht: „Dich stürzt kein Tod hinaus". So ist das Gedicht der Gegenpol des späteren *Die Engel*. Denn während dort Welt und Himmel sich entleerten, wird hier die ganze Natur zu dem von Hesekiel geschauten gotterfüllten Tempel, dessen Dach der Himmel ist — getragen von den Säulen aus „Duft von Meer und Algen" und dem „weißen Wasser der Felsen". Wie in *Die Gaukler sind fort* erscheint auch hier das „weiße Wasser" als Symbol von Unschuld und Reinheit, aber während es sich dort schon zurückzog, so daß die „hochberühmten Gaukler" ihm unwiederbringlich nachfolgten, trägt es hier noch den Himmel und macht die Erscheinung Gottes möglich.

Aber ist es wirklich Gott? Denn eine Frage haben wir bisher noch nicht beantwortet: Wer ist der zweimal genannte „Engel der Frühe"? Erscheint er nur, wie Walter Jens annimmt [57], als „zartes Gegenbild" der Kriegsrealität vieler anderer Gedichte, ist er identisch mit dem Schweigen und so letzlich mit Gott — d. h. nicht sichtbar zwar — „niemand sah ihn" —

---

[56] Vgl. Psalm 28: Wenn ich rufe zu dir, Herr, mein Hort, so schweige mir nicht, auf daß nicht, wo du schweigst, ich gleich werde denen, die in die Grube fahren.
   Psalm 35: Herr [...] schweige nicht; Herr sei nicht ferne von mir!
   Psalm 50: Aus Zion bricht an der schöne Glanz Gottes. Unser Gott kommt und schweigt nicht.
   Psalm 83: Gott, schweige noch nicht also und sei doch nicht so still; Gott halt doch nicht so inne!
[57] Walter Jens, *Die Zeit*, op. cit.

aber fühlbar im „Duft von Meer und Algen" und hörbar in der Verheißung? Oder müssen wir ihn als den „Morgenstern", den „Sohn der
Morgendämmerung" interpretieren, als den g e f a l l e n e n Engel, der
den leerstehenden Tempel Gottes eingenommen hat? Aus dem „Schatten",
in dem Gott sich verbirgt, tritt sein Schweigen, das Schweigen Gottes aber
heißt Luzifer-Prometheus — ließe sich der Sinn des Gedichtes in diese
Aussage fassen? Dies ist nicht so gewagt wie es scheint. Huchel hatte in
dem frühen, in der Einführung genannten Gedicht *Du Name Gott* schon
einmal dieses Schweigen angesprochen und die Frage nach der Existenz
Gottes gestellt, ohne eine Antwort zu erhalten:

> Du Name Gott, wie kann ich dich begreifen?
> Du schweigst bewölkt. Du bist. Wir aber werden
> nicht Frucht aus deinem Wort. O regne Licht
> in uns! Wir blühen in deinem Reifen,
> dann aber welken wir, noch in Gebärden,
> denn mystisch dunkelt uns dein Angesicht.
>
> Bist du denn wirklich hinter deinem Namen?
> Oder nur Bild, das wir uns zärtlich malen
> aus unsrer Tiefe? Sind nicht alle Stufen
> der Erlösung Taten nur aus unserm Samen? [...]

Wenn auch bisher niemand auf einen satanischen, ja noch nicht einmal
einen religiösen Zug in Huchels Werk aufmerksam gemacht hat, so fügen
sich doch *Die Gaukler sind fort, Die Engel, Haus bei Olmitello* und einige
andere gleich noch zu besprechende Gedichte zu einem Bild zusammen,
das einer bestimmten Tradition des europäischen Satanismus, der prometheischen Revolte gegen einen ungerechten Gott entspricht, die die Selbst-
erlösung des Menschen zum Ziel hat: „Sind nicht alle Stufen der Erlösung
Taten nur aus unserm Samen?"

Als konstante Typen einer Gedankenwelt, die gegen jenen als gleichgültig oder böse oder machtlos verstandenen Gott aufbegehrt, nennt
Guthke z. B. den sich am Elend der Menschheit ergötzenden Gott, den
Spieler, den Marionettentheater-Direktor, den schlafenden, schweigenden
Gott.[58] In diesem Licht gesehen gewinnen Huchels „Gaukler" eine er-
weiterte Bedeutung, und die Luzifer-Gestalt in unserem Gedicht rückt in
die Nähe der „Töchter Kains" in *Die Engel*, deren Gemeinsames diese
prometheische Revolte gegen Gott ist. In *Die Engel* sind die Titelgestal-
ten eindeutig satanisch, nichts spricht dagegen, daß in *Haus bei Olmitello*

---

[58] Guthke, op. cit. S. 19.

der Engel desselben Ursprungs ist. Ausdrücklich verbindet Huchel einmal den „Engel" mit „Satan", und war in einem nur in *Die Literarische Welt* erschienenen Gedicht:

> Spinnweb und Staub vom toten Jahr
> sitzt im Gebälk und Sparren.
> Ein Engel fliegt durch Bart und Haar,
> hört er den Satan scharren.[59]

Nun muß hier sofort festgestellt werden, daß diese Luzifer-Gestalt, wenigstens im letzten Gedicht, als gutes, dem Menschen in d i e s e r Welt zugewandtes Prinzip verstanden werden soll; auch Huchel kann ‚das Drüben' wenig kümmern: soweit er eine Transzendenz schildert, ist sie, wir sahen es, leer. Um so mehr — dies zeigte sich bei unserer Betrachtung des Gedichtes *Südliche Insel* sowie in zahlreichen anderen Gedichten — betont er als Dorfkind den Wert der Arbeit in dieser Welt, insbesondere der harten Arbeit auf dem Land und den Segen, der auf dieser Arbeit ruht, auch oder besonders da, wo sie mühselig ist. Huchel äußerte selbst dazu: „Um was ging es mir damals? Ich wollte eine bewußt übersehene, unterdrückte Klasse im Gedicht sichtbar machen, die Knechte, Mägde und Kutscher"[60], und wenn diese Aussage auch weit zurückliegt und wohl zum Teil für den kommunistischen Hausgebrauch gemacht wurde, so kann nicht geleugnet werden, daß er sich weiterhin mit Vorliebe der Menschen annimmt, die das Schicksal Kains am härtesten zu tragen haben. Das Paradies, das sich etwa Abel noch erhofft, ist ihm verschlossen, der Kontrast: Gott-versorgter Kyklop — sich selbst versorgender Bauer in *Südliche Insel* machte dies deutlich; was dem Menschen noch bleibt, um sein Los auf Erden zu bessern, ist hart zu arbeiten wie Kain und Gott nicht zu achten, dann steht ihm der Gott dieser Welt, Luzifer, wie Kain ein Rebell, bei. Daher erscheint dann auch in *Haus bei Olmitello* das Bild des arbeitenden Menschen, dessen heiße Stirn — ‚im Schweiße deines An-gesichts' — von dem „Engel der Frühe" gekühlt wird:

> Aber ein Duft von Meer und Algen
> Trug den Himmel
> Und kühlte die heiße Stirn der Boote.
> Die Fischer löschten die Lampen.

Bestätigt wird diese Interpretation durch eine Stelle, an der Huchel den Morgenstern einmal ausdrücklich als eine luci-ferische Erlösergestalt die-

---

[59] Nr. 8, 1932, Heft 32.
[60] Zitiert bei Eduard Zak, op. cit. S. 171.

ser Erde feiert: es handelt sich um den im übrigen zu Recht vergessenen *Bericht aus Malaya*, einem reinen Propaganda-Stück, und gemeint ist Mao-tse-tung!

> [...] immer besorgt, die feuchte Frische zu halten,
> [...]
> Malte ich Stirn und Augen des Mannes,
> Der in der Mitte des schweren Sturms
> Der Kern der großen Ruhe ist.
> Und ist er nicht das Gestirn,
> Das schimmernd geht am Rande der Nacht
> Dem Morgen voran?
> Und weichen nicht, wie schmelzendes Eis,
> Die Feinde langsam vor ihm zurück?
> [...]
> Mit einem fließenden Pinselstrich
> Zog ich die Lippen. Und malend Maos Mund,
> Malte ich Chinas Mund.[61]

Im 2. Buch Mose, Kapitel 25—27, gebietet Jehova den Bau eines Heiligtums, der Stiftshütte, wo er sich Israel offenbart und wo der Bund mit ihm gefeiert werden soll. Auch soll ein siebenarmiger Leuchter angefertigt werden, der ihm zu Ehren brennen wird:

> Gebiete den Kindern Israel, daß sie zu dir bringen das allerreinste lautere Öl von Ölbäumen, gestoßen, daß man täglich Lampen aufsetze in der Hütte des Stifts [...] (2. Mose 27, 20—21)

Dieses heilige Öl[62] brannte, als Zeichen des Bundes, auch im Leuchter des Tempels von Jerusalem. Im *Haus bei Olmitello* besteht der Bund nicht mehr: als ‚Luzifer' in den Tempel trat, „verglomm das Öl" im Krug, „die Fischer löschten die Lampen"[63].

---

61 *Neue Deutsche Literatur* 4, 1956, S. 72—73.

62 Vgl. auch 2. Mose 25.2, 35.14 und 3. Mose 24.2.

63 Erhellend ist auch, daß der wohl bekannteste Satanist der europäischen Literatur, Baudelaire, in seinen beiden Gedichten *Abel et Caïn* und *Les litanies de Satan* (Charles Baudelaire, *Les Fleurs du Mal*, Editions Garnier Frères, Paris 1961, S. 144—146 und 146—148) ganz ähnliche Gedankengänge verfolgt. So vergleicht er in *Abel et Caïn* das müßige, auf Gottes Hilfe vertrauende ‚Geschlecht Abels', dem alles in den Schoß gegeben wird, mit dem hart arbeitenden entbehrenden ‚Geschlecht Kains':

> Race d'Abel, dors bois et mange;
> Dieu te sourit complaisamment.
> Race de Caïn, dans la fange
> Rampe et meurs misérablement.

Abschließend sei noch auf zwei Gedichte hingewiesen, die in unmittelbarer Nachbarschaft von *Haus bei Olmitello* stehen und die geeignet sind, die hier gegebene Interpretation zu bestätigen:

San Michele

Im Mauerwinkel
Ein schwarzes Feuer,
Den Heimweg der Toten wärmend.
Während der Schatten ihrer Gebete
Über schlafende Wasser weht,
Schwingt eine Glocke,
Die du nicht hörst.
Jede Stunde geht durch dein Herz
Und die letzte tötet.

Gestern,
Unter den Mandelbäumen,
Legten sie Feuer

---

und fordert das Geschlecht Kains zur Revolte gegen Gott auf:

Race de Caïn, au ciel monte,
Et sur la terre jette Dieu.

Desgleichen preist Baudelaire, in *Les litanies de Satan,* den „schönsten der Engel" — ohne daß Huchel es direkt ausspricht, verspüren wir auch in *Haus bei Olmitello* die traditionelle Schönheit Luzifers — und beschreibt ihn als Helfer der Menschheit auf dieser Erde:

O toi, le plus savant et le plus beau des Anges,
Dieu trahi par le sort et privé de louanges,
O Satan, prends pitié de ma longue misère!
Toi qui sais tout, grand roi des choses souterraines,
Guérisseur familier des angoisses humaines [...]
Bâton des exilés, lampe des inventeurs,
Confesseur des pendus et des conspirateurs [...]
Père adoptif de ceux qu'en sa colère
Du paradis terrestre a chassés Dieu le Père [...]
Prière
Gloire et louange à toi, Satan, dans les hauteurs
Du Ciel, ou tu régnas, et dans les profondeurs
De l'enfer, où, vaincu, tu rêves en silence!
Fais que mon âme un jour, sous l'Arbre de Science,
Près de toi se repose, à l'heure où sur ton front
Comme un *Temple nouveau* ses rameaux s'épandront!

Es ist wohl kein Zufall, daß auch bei Baudelaire der von Hesekiel geschaute Neue Tempel von einem gleich Gott gesetzten Satan bewohnt ist. Daß Huchel, der lange in Frankreich gelebt und aus dem Französischen sowie ins Französische übersetzt hat, Baudelaire gut kennt, steht außer Zweifel. Hervorhebungen vom Autor.

Ans dürre Gras.
Kaufe dich los
Im Anblick der Grube.

Die Nacht,
Der dunkle Aderlaß,
Verströmt ins Blei der Dächer.
Das ferne Venedig
Ist keinen Fischfang wert.[64]

Das Gedicht — es steht unmittelbar vor *Haus bei Olmitello* — trägt nicht aus Gründen des Lokalkolorits als Titel den Namen des dem Erzengel Michael geweihten Inselfriedhofs von Venedig. Nach Offenbarung 12,7 ff. ist Michael der Überwinder Satans:

Und es erhob sich ein Streit im Himmel: Michael und seine Engel stritten mit dem Drachen; und der Drache stritt und seine Engel,

Und siegten nicht, auch ward ihre Stätte nicht mehr gefunden im Himmel.

Und es ward ausgeworfen der große Drache, die alte Schlange, die da heißt der Teufel und Satanas, der die ganze Welt verführt, und ward geworfen auf die Erde, und seine Engel wurden auch dahin geworfen.

Daraus entwickelte sich im Mittelalter die Vorstellung von Michael als dem Anführer der himmlischen Heerscharen im Kampf gegen die Mächte der Finsternis, als der Lichtgestalt, die der Hölle die Seelen entreißt, um sie ins Paradies zu führen.

Nun bezieht das Gedicht seine Spannung daraus, daß der so im Titel beschworene Sieger über Nacht und Hölle im Text gar nicht erscheint. Im Gegenteil: hier sind die Mächte der Finsternis, ist die Hölle nicht überwunden: „ein schwarzes Feuer" liegt im Mauerwinkel, ja, Tod und Finsternis sind so unentrinnbar, daß die „Nacht" zum allgegenwärtigen Bleigefängnis geworden ist — eine Reise nach Venedig der berüchtigten Bleikammern wegen, in denen, unter den Dächern der Palazzi, die Gefangenen austrockneten, erübrigt sich daher. Auch tut sich, statt des Paradieses, weit die „Grube" auf, die — wir sahen es — noch einmal in *Die Engel* gähnt.

Zu der Abwesenheit Michaels tritt das Bild von den schlafenden Wassern — eine Chiffre für den den „Schatten ihrer Gebete" nicht erhörenden Gott? Auch die Glocke, die mit diesen Gebeten mitschwingt, ist nicht hörbar; ist es wiederum Gott, der sie nicht hört oder ist es der Sprecher, dem sie nichts bedeutet? Wie dem auch sei, wieder vermeinen wir den

---

[64] *Chausseen Chausseen*, S. 17.

Gott der Satanisten zu spüren, den schlafenden Gott, der in diesem Gedicht dem Spielergott in *Die Gaukler sind fort* und dem schweigenden
Gott in *Haus bei Olmitello* zur Seite tritt. Und so wird in diesem Gedicht
ebenfalls das Zeichen des Bundes, den Gott nicht mehr einhielt, vom Menschen in einem Akt prometheischen Trotzes zerstört. In *Haus bei Olmitello* löschten die Fischer die „Lampen" — in *San Michele* wird ein Feuer
„unter den Mandelbäumen" gelegt, um diese wieder in den dürren Stab
zurückzuverwandeln, in dessen Grünen sich Gott einst bezeugt hatte:

> Des Morgens aber, da Mose in die Hütte des Zeugnisses ging, fand er den
> Stecken Aarons des Hauses Levi grünen und die Blüte aufgegangen und
> Mandeln tragen. (4. Mose 17.23)

Gelangen wir über dieses Zitat auch zu einer Zurücknahme, einer Zurückweisung der Person Christi, dessen Geburt nach mittelalterlicher Vorstellung in Aarons fruchttragendem Mandelstab präfiguriert war? Das
Melker Marienlied aus dem 12. Jahrhundert beginnt mit der Strophe:

> Jû in erde
> leit Aaron eine gerte,
> diu gebar mandalon,
> nuzze alsô edile:
> die suozze hâst du fure brâht,
> muoter âne mannes rât,
> Sancta Maria.[65]

Eine solche Interpretation sähe sich bestätigt durch das häufige Vorkommen, in der hier behandelten Gruppe von Gedichten, von Bildern,
die sich auf den Fischfang beziehen. Sie erscheinen in dem ersten Zyklus
von *Chausseen Chausseen*, in dem auch *San Michele* steht, in sechs von
dreizehn Gedichten, und zwar in *Elegie, Monterosso, San Michele, Haus
bei Olmitello, Südliche Insel* und *Chiesa del Soccorso*. Auch in *Die Engel*
stehen ‚Fische' in Apposition zu den „eisigen Augen der Engel". Der Fisch
aber, als Akrostichon des griechischen ‚ichthys', dessen Anfangsbuchstaben,
ins Deutsche übersetzt, sich zu ‚Jesus Christus, Sohn Gottes, Heiland' erweitern lassen, ist eines der ältesten Symbole der christlichen Kirche für
jenen anderen Sieger über Finsternis, Hölle und Tod. Dieser Fisch läßt
sich nicht fangen — auch Christus ist keine Hoffnung mehr:

---

[65] Zitiert nach: *Mittelalter, Texte und Zeugnisse*, hrsg. v. Helmut de Boor,
Bd. I, München 1965, S. 406. Diese Vorstellung war im Mittelalter weit verbreitet und ist es auch heute noch in der katholischen Kirche. Vgl. dazu den
Abschnitt ‚Symbolic Representations' in dem Artikel ‚Iconography of Mary,
Blessed Virgin' in: *New Catholic Encyclopedia*. Washington 1967, Bd. IX, S. 384.

> Das ferne Venedig
> Ist keinen Fischfang wert.

— denn auch dort ist nur die Bleikammer der Nacht, nicht aber ihr Über-
winder. So warteten auch in *Elegie*, am Gestade des Totenreiches, die
Knaben „mit leeren Netzen", und in *Letzte Fahrt*, wo „der Vater", ein
Fischer, im Kahn die Reise über den Totenfluß antritt, schreibt Huchel:

> Der letzte Fang war schwarz und kahl,
> das Netz zerriß im Kraut.[66]

Die Gleichsetzung: „Fische" — (gefallene) „Engel mit eisigen Augen"
in *Die Engel* spricht für sich. Ganz deutlich heißt es dann in *Monterosso*,
dem Gedicht, das *San Michele* vorausgeht:

> Die ihn nicht fanden,
> Aller Gnaden Quell,
> Und blieben
> Beim Angelus
> In siebenfacher Schuld,
> Sie lehnen am Boot
> Und prüfen
> Die Schärfe der Harpune.[67]

Das Angelus ist das Dankgebet für die Menschwerdung Christi, das mit
den Worten beginnt: „Angelus Domini nuntiavit Mariae". Eine solche
Verkündigung ist hier ohne Wirkung, die Gnade bleibt aus, und der
Mensch, der auf göttliche Hilfe nicht mehr bauen kann, ist auf sich selbst
angewiesen. Das Böse, der Leviathan, der nach alter Vorstellung an
Christus, dem Angelhaken, erstickte[68], muß nun vom Menschen allein
bekämpft werden, er unternimmt den Angriff selbst und prüft „die
Schärfe der Harpune".

Es verdeutlicht den Zusammenhang, in dem sich Huchels Gedanken
bewegen, wenn man die Zeilen aus *San Michele:* „Jede Stunde geht durch
dein Herz / Und die letzte tötet", die er am Ende des Bandes als Zitat,
als „Abwandlung der Inschrift einer Sonnenuhr" ausweist, auf die Quelle

---

66 *Die Sternenreuse,* S. 27.
67 *Chausseen Chausseen,* S. 16.
68 Vgl. die fünfte Strophe des Melker Marienliedes: ‚Ein angelsnuor geflohtin
ist […].‘ sowie Helmut de Boors Erläuterung dazu: „die geflochtene Angelschnur
ist Marias Sippe; aus ihr ging die menschliche Seite Christi hervor, an der der
Angelhaken, Christi Gottheit, befestigt war. Ein geläufiges Bild: Der Tod oder
der Teufel schnappt nach dem sterblichen Leib Christi, in dem der Angelhaken
der Gottheit versteckt ist, an dem der Tod bzw. der Teufel erstickt" (loc. cit.).

zurückverfolgt, die er nicht angibt. Sie stammen aus Gottfried Benns
Marginalie „Nihilistisch oder positiv". Benn wendet sich dort gegen den
Begriff des Nihilismus und postuliert einen positiven Pessimismus:

> Etwas anderes ist es mit dem Pessimismus. Der scheint ein unauslöschlicher
> Affekt der denkenden Menschheit zu sein. Ich stand in einem Pyrenäendorf
> vor einer Sonnenuhr, auf ihrem großen Zifferblatt las ich einen lateinischen
> Spruch: vulnerant omnes, ultima necat — zu deutsch: Alle verwunden, die
> letzte tötet; gemeint sind die Stunden —, ein bitterer Spruch, er stammt
> aus dem Mittelalter. [...] zur Frage nach der Stimmung oder der Affekt-
> lage des schreibenden, fassen wir es etwas weiter: des schöpferischen Men-
> schen. Da scheint es mir auf der Hand zu liegen, daß ein solcher, selbst
> wenn er persönlich und privat von einem geradezu lethargischen Pessimis-
> mus befallen sein sollte, durch die Tatsache, daß er arbeitet, aus dem
> Abgrund steigt. Das angefertigte Werk ist eine Absage gegen Zerfall und
> Untergang. Selbst wenn dieser schöpferische Mensch sich sagt, selbst wenn
> er weiß, auch die Kulturkreise enden, auch der, zu dem er gehört — der
> eine endet und der andere tritt in den Zenit, und *darüber steht das Unauf-*
> *hörliche reglos und wahrscheinlich im Wesen nicht menschlich —*, der schöp-
> ferische Mensch sieht dem ins Auge und sagt sich, in dieser Stunde liegt auf
> mir das unbekannte und tödliche Gesetz, dem muß ich folgen, in dieser Lage
> muß ich mich behaupten, ihr mit meiner Arbeit entgegentreten und ihr Aus-
> druck verleihen.[69]

Bei Benn ist das Produkt der „formfordernden Gewalt des Nichts",
über die er in seiner Akademie-Rede von 1932 spricht, das Kunstwerk.
Um diese rein schöpferische Arbeit allein geht es jedoch Huchel nicht —
er erwähnt sie in diesem Sinne nie. Im übrigen aber scheint auch er, wie
Benn, über die Zurückweisung eines ‚reglosen', ‚nicht menschlichen' Gottes
und jeder illusionären Hoffnung auf ‚Gnade' in der Transzendenz, nicht
zum Nihilismus, sondern zu einem Humanismus zu gelangen, dessen
Segen nicht vom ‚Drüben' kommt, sondern aus dem Wert der menschlichen Arbeit und damit — in allen Gedichten, in denen Huchel den arbeitenden Menschen beschreibt — unmittelbar aus der Erde quillt. Wir zitierten schon, im Zusammenhang mit dem Gedicht *Südliche Insel,* das ebenfalls den Verlust der Hoffnung auf einen paradiesischen Zustand zum
Thema hatte, aus dem Zyklus *Das Gesetz* die Zeilen:

> Dezemberrissiger Acker,
> auftauende Erde im März,
> Mühsal und Gnade trägt der Mensch.

---

[69] Gottfried Benn, op. cit. Bd. I, S. 399—400. Hervorhebung vom Autor.

und interpretierten sie in diesem Sinne. Wir fanden dies bestätigt in *Haus bei Olmitello,* und in *Die Engel,* dem bisher letzten hierher gehörigen Gedicht, bekam diese Zurückweisung Gottes dann auch ihren Namen: es ist die Revolte derer, „die ihn nicht fanden, aller Gnaden Quell", der Zukurzgekommenen, die Revolte der „Töchter Kains", dessen Opfer aus göttlicher Willkür nicht angenommen wurde.[70]

Absichtlich haben wir bisher jene frühen Gedichte Huchels — sie stammen aus den zwanziger Jahren — nicht als Beweis für die Richtigkeit unserer Interpretation herangezogen, in denen Christus direkt angesprochen und ebenfalls im Namen der menschlichen Gerechtigkeit abgelehnt wird. Sie sind künstlerisch schwach und nähern sich im Ton antichristlicher kommunistischer Propagandalyrik. Wir hätten Huchel keinen Dienst erwiesen, hätten wir sie zum Ausgangspunkt unserer Untersuchung genommen. Auch konnte so gezeigt werden, daß es möglich ist, Huchels späte Gedichte aus sich heraus korrekt zu interpretieren. Immerhin seien sie hier abschließend auszugsweise zitiert:

Weihnachtslied

O Jesu, was bist du lang ausgewesen,
o Jesu Christ!
Die sich den Pfennig im Schnee auflesen,
sie wissen nicht mehr, wo du bist.
Sie schreien, was hast du sie ganz vergessen,
sie schreien nach dir, o Jesu Christ!
[...]

Die Trän' der Welt, den Herbst von Müttern,
spürst du das noch, o Jesukind?
Und wie sie alle im Hungerhemd zittern
und krippennackt und elend sind!

O Jesu, was bist du lang ausgeblieben
und ließest die Kindlein irgendstraßfern.

---

70 Es ist nicht ausgeschlossen, daß in dem Gedicht *San Michele* eine politisch-persönliche Anspielung mitschwingt. Allerdings gilt sie keineswegs ausschließlich, wie Peter Hamm annimmt, wenn er zu diesem Gedicht schreibt: „Betört ihn, noch einmal, die Illusion der Flucht [...], so weiß doch der Dichter jetzt, daß dieser Flucht nicht bloß Ulbrichts Grenzposten im Wege stehen; sein Gedächtnis ist es, dem er nicht mehr entrinnen kann [...]" (Hamm, op. cit. S. 488). Eine religiöse Komponente — auch die Anspielung auf Michael — erwähnt Hamm nicht, obwohl es auch gerade in eine politische Deutung gepaßt hätte, die Abwesenheit oder Ohnmacht Michaels, der ja auch traditioneller Schutzheiliger Deutschlands ist, herauszustellen.

Die hätten die Hände gern warm gerieben
im Winter an deinem Stern.[71]

Die Hirtenstrophe
Wir gingen nachts gen Bethlehem
und suchten über Feld
den schiefen Stall aus Stroh und Lehm
von Hunden fern umbellt.
[...]

Wir hatten nichts als unsern Stock,
kein Schaf, kein eigen Land,
geflickt und fasrig war der Rock,
nachts keine warme Wand.

Wir standen scheu und stummen Munds:
Die Hirten, Kind, sind hier.
Und beteten und wünschten uns
Gerät und Pflug und Stier.

Und standen lang und schluckten Zorn,
weil uns das Kind nicht sah.
[...]

Daß *diese* Welt nun besser wird,
so sprach der Mann der Frau,
für Zimmermann und Knecht und Hirt,
das wisse er genau.

Ungläubig hörten wirs — doch gern.
Viel Jammer trug die Welt.
Es schneite stark. Und *ohne Stern*
ging es durch Busch und Feld.

Gras, Vogel, Lamm und Netz und Hecht,
Gott gab es uns zu Lehn.
Die Erde aufgeteilt gerecht,
wir hättens gern gesehn.[72]

Preisgabe der Hoffnung auf Gott: „ohne Stern" — so wie er in einem anderen, nur in der *Kolonne* veröffentlichten Gedicht einmal vom „Himmel ohne Stern und Gnade"[73] spricht — statt dessen der Blick auf

---

[71] *Die Sternenreuse*, S. 35. Das Gedicht schloß ursprünglich die Erzählung *Von den armen Kindern im Weihnachtsschnee* ab, die in unserer Einleitung im Hinblick auf die Gottesferne erwähnt wurde.

[72] *Die Sternenreuse*, S. 33. Hervorhebungen vom Autor.

[73] *Der Totenherbst*, Die Kolonne 4. Jahrgang, 1932, S. 6.

„d i e s e Welt". Es erübrigt sich, die Tradition nachzuzeichnen, in der
Huchel steht. Gottfried Benn wurde schon erwähnt, Camus' *L'homme
revolté* liegt nicht weit, vor beiden stehen Nietzsche und andere Rebellen
des 19. Jahrhunderts, die wie Huchel die Entgötterung beklagen und sie
durch eine rigorose Hinwendung zu dieser Erde und der auf ihr zu lei-
stenden Arbeit (Camus) oder zum ‚Leben' (Nietzsche) zu überwinden versuchen. Letzten Endes läßt sich das Thema, wie es Guthke tut, bis zu
Epikur zurückverfolgen.[74] Für alle Rebellen wie auch für Huchel gilt,
was Ludwig Kahn in seiner Studie *Literatur und Glaubenskrise* — die
Entwicklung dieses Themas von Voltaire bis Camus zusammenfassend —
schreibt:

> Vielleicht ist es gerade aus Angst vor der Leere und dem Nichts, daß in
> einer Zeit der Gottesferne und der Glaubenserschütterung der Mensch
> Sicherungsmöglichkeiten in der Heiligsprechung des Lebens sucht.[75]

Dies bei Huchel zu zeigen, haben wir uns hier zur Aufgabe gemacht.
Dabei lag der Akzent in diesem Kapitel auf der „Gottesferne und Glau-
benserschütterung", auf der „Angst vor der Leere und dem Nichts" und
den ‚Dämonen', die es gebiert. Wir müssen wohl schließen, daß diese
„Angst vor der Leere" im Laufe von Huchels Entwicklung immer mehr
zunimmt: In dem zuletzt zitierten *Weihnachtslied* und der *Hirtenstrophe*
fehlte sie ganz; es bleibt bei der Anklage, die Folgen werden noch nicht
reflektiert. So sind auch die ‚Dämonen' in den frühen Gedichten noch
nicht vorwiegend existentieller, sondern eher politischer Art, wie in *Späte
Zeit* und *Zwölf Nächte*. *Widmung*, 1955 geschrieben, stellt einen Wende-
punkt dar: dort weisen die Unsichtbaren ebenso auf die politischen Dämonen zurück, schließen aber auch schon „den unheimlichsten aller Gäste,
das Nichts" ein. Während in der Helle der südlichen Gedichte die ‚Schatten' z. T. noch einmal zurückgedrängt werden konnten, und ein luzife-

---

[74] Guthke zitiert (op. cit. S. 67) den folgenden Abschnitt aus Epikur: „Ent-
weder will Gott die Übel beseitigen und kann es nicht, oder er kann es und will
es nicht, oder er kann es nicht und will es nicht, oder er kann es und will es.
Wenn er nun will und nicht kann, so ist er schwach, was auf Gott nicht zutrifft.
Wenn er kann und nicht will, dann ist er mißgünstig, was ebenfalls Gott fremd
ist. Wenn er nicht will und nicht kann, dann ist er sowohl mißgünstig wie auch
schwach und dann auch nicht Gott. Wenn er aber will und kann, was allein
sich für Gott ziemt, woher kommen dann die Übel und warum nimmt er sie
nicht weg?" Epikur: *Von der Überwindung der Furcht*. Zürich 1949, S. 80.
[75] Stuttgart 1964, S. 139. Huchel spricht diese Angst einmal deutlich aus, wenn
er „die leere Finsternis des Himmels" zu seinen „gefährlichen Nachbarn" zählt
(*Die Nachbarn, Gezählte Tage,* S. 57).

risch-prometheisches Versprechen die Leere ausfüllte, steht am Ende die Wehmut über das Verschwinden der „hochberühmten Gaukler", die politische Dunkelheit ist zur kosmischen geworden, das politische ‚Eis‘ früherer Gedichte zu den „eisigen Augen" der „Engel", denen nun nichts Prometheisches mehr anhaftet, aus denen uns nur noch Satan anblickt.

Wenden wir uns nun im folgenden dem zu, was Ludwig Kahn in unserem Zitat die „Heiligsprechung des Lebens" nannte, der Kanonisierung der Erde als Ersatz Gottes, und untersuchen wir die Formen der Mythisierung, in denen sie sich ausdrückt. Es wird sich erweisen, daß auch diese Ausflucht ihre Überzeugungskraft für Huchel einbüßt.

,Die Mutter der Frühe‘

Die natur-mythische Schicht

In dem zuletzt genannten Buch *Literatur und Glaubenskrise* untersucht Ludwig Kahn die verschiedenen Ersatzgötter, die sich der Mensch seit dem Zeitalter der Aufklärung geschaffen hat. Unter dem Titel ,Transfiguratio Mundi‘ widmet er ein ganzes Kapitel der „Lobpreisung der Arbeit und des Lebens“. Daraus zwei Zitate:

> [...] bald wird das achtzehnte Jahrhundert den verhängnisvollen Schritt machen zur ,Heiligsprechung, zur Vergottung der sichtbaren Welt‘ (Gundolf). Die strömende, drängende, quellende, wirkende, wachsende, heilige Natur hat kein höheres Prinzip über sich, sondern ist selber das Letzte und Höchste, ihr gilt des Menschen Ehrfurcht und Verehrung, ihr darf er sich anvertrauen. Rückkehr zur Natur ist zugleich Rückkehr in den Zustand naturhafter und reiner Unschuld — ist Aufhebung des Sündenfalls. Nicht mehr der Kreuzestod Jesu, sondern die Natur bringt jetzt das Heil.[1]
>
> Zur Heiligung des Lebens gehört aber nicht zuletzt, daß auch die Tätigkeit innerhalb des irdischen Wirkungskreises gepriesen und verherrlicht wird. Arbeit, Lebenswerk, Beruf werden kanonisiert.[2]

Schon in den frühesten Gedichten Huchels ist die ,Heiligung‘ von Erde und Arbeit stark ausgeprägt — „Dich will ich rühmen, Erde“, sagt er einmal ausdrücklich in der Personifizierung zum Gotte.[3] Was wir nun unter ,Heiligung‘ verstehen, wenn wir diesen Begriff für Huchel übernehmen wollen, soll ein kurzer Vergleich zwischen der sogenannten ,Naturlyrik‘ Huchels — und hier sei es in einem weiteren Sinne einmal gestattet, diesen Terminus auch auf Huchel anzuwenden — und Wilhelm Lehmanns zeigen, der einige Jahre später als Huchel den „Grünen Gott“ zu besingen begann.[4] Die Unterschiede sind jedoch groß: denn während sich Lehmanns Natur gleichsam spielerisch in eine Vielfalt von literarischen, my

---

1 op. cit. S. 114.
2 op. cit. S. 117.
3 *Sommer, Die Sternenreuse*, S. 30.
4 Es ist falsch zu sagen, wie es etwa der Soergel-Hohoff tut: „Es bildete sich eine Lehmann-Schule [...] Günter Eich, Peter Huchel und Karl Krolow gehören dazu“ (*Dichtung und Dichter der Zeit*, Bd. II, S. 631). Zumindest was Huchel angeht, war die zeitliche Folge eher umgekehrt.

thologischen und geschichtlichen Bezügen aufblättert und von präzise genannten, immer wieder anderen Figuren — Merlin, Daphne oder Papageno — belebt wird, beschränkt sich Huchel auf einen kleinen Kreis von ständig wiederkehrenden, scheinbar realen Gestalten, die der Welt der kleinen Landarbeiter entnommen sind. S c h e i n b a r   real — denn obwohl Huchel sie vor unseren Augen in eine Umwelt stellt, der sie ohne weiteres als lebende Menschen angehören könnten, was man von Merlin, Daphne oder Papageno ja nicht sagen kann, rückt er sie, durch unauffällige Auswahl bestimmter, ebenfalls immer wiederkehrender Gegenstände und Attribute, in die Sphäre des Archetypischen, d. h. er erhöht, oder, mit Ludwig Kahn gesprochen, ,heiligt' sie in weitaus größerem Maße als Lehmann dies tut. Lehmann bringt v o n   a u ß e n Figuren der M y t h o l o g i e etc. in eine ihnen ursprünglich nicht angemessene Umwelt — so versetzt er Pan nach Schleswig-Holstein —, Huchel nimmt das, was er schon in der Natur und in dem in ihr bewahrten Menschen vorfindet, und projiziert es gleichsam v o n   i n n e n in eine Welt des M y t h o s. Mit anderen Worten: bei Lehmann ist das die Natur erhöhende, ,heiligende' Element oft akzidentell, bei Huchel aber inhärent. Wir sind uns bei dieser Unterscheidung bewußt, daß Lehmann allerdings den Terminus ,Mythos' für sich selbst in Anspruch nimmt. Er schreibt:

> An die Stelle der Geschichte tritt der Mythos als der erzählerische Ausdruck unserer Erde. Ohne ihn wäre sie fassungslos. Als charakteristische, immer wiederholte, menschlich verständliche Situation meldet er sich, zeitlose Gegenwart, überall in meiner Dichtung an.[5]

Gerade dies aber, die „zeitlose Gegenwart" des Mythos, erscheint uns bei Huchel eher erreicht als bei Lehmann. Ein kurzer Blick auf ein gut in unseren Zusammenhang passendes Gedicht Lehmanns wird dies erweisen:

Göttin der Fruchtbarkeit

Da Juliglut die goldnen Lippen auf die Wege legt,
Daß sich die Milch im Lattichstengel regt,
Der Odermennig schneller seine Früchte reift,
Flugs sie mir an die Kleider streift —
Seh ich es wellen durch das Meer der Gräser,
Diana ist es der Epheser:

Wenn weiß ihr Angesicht im Grunde schwimmt,
Zerbricht der hohle Weg in einen Duft von Zimt.
Der Glanz beglänzt der vielen Brüste Runde,

---

[5] Wilhelm Lehmann, op. cit. Band III, S. 176—177.

Die Erde hängt an ihr mit jedem Munde.
Ich höre die versunknen Wesen saugen,
Ich seh den Staub verwandeln sich in Pfauenaugen.[6]

Die konkrete Nennung der Göttin Diana, ja eigentlich nur ihres Stand-
bildes, der Diana von Ephesos, die der griechischen Fruchtbarkeitsgöttin
Artemis gleichgesetzt war[7], macht die Figur eindeutig und einmalig,
macht sie zu einem nur in diesem Gedicht wirksamen intellektuellen
Spiel, zu einem literarischen Fremdkörper in der Landschaft. Die Kon-
kretheit verhindert die Erhöhung ins Archetypische.[8]

Ganz anders die Mythisierung der Natur bei Huchel. Wir wählen als
Ausgangspunkt eines seiner bekanntesten frühen Gedichte, das 1926 geschriebene *Die Magd,* das für einen Vergleich besonders geeignet ist, nicht
zuletzt weil Lehmann es selbst kommentiert.[9]

Die Magd

Wenn laut die schwarzen Hähne krähn,
vom Dorf her Rauch und Klöppel wehn,
rauscht ins Geläut rehbraun der Wald,
ruft mich die Magd, die Vesper hallt.

Klaubholz hat sie im Wald geknackt,
die Kiepe mit Kienzapf gepackt.
Sie hockt mich auf und schürzt sich kurz.
schwankt barfuß durch den Stoppelsturz.

Im Acker knarrt die späte Fuhr.
Die Nacht pecht schwarz die Wagenspur.
Die Geiß, die zottig mit uns streift,
im Bärlapp voll die Zitze schleift.

Ein Nußblatt wegs die Magd zerreibt,
daß grün der Duft im Haar mir bleibt.

---

6 ibid., S. 577.

7 Die vielbrüstige Artemis von Ephesos ist eine der bekanntesten Artemis-
Darstellungen. Ihr wurde die römische Diana gleichgestellt; in der bildenden
Kunst vertraten beide denselben Typus der Fruchtbarkeitsgöttin. Vgl. Artikel
‚Diana‘, *Brockhaus Enzyklopädie,* Bd. IV, Wiesbaden 1968, S. 696, wo auch eine
Abbildung zu finden ist.

8 Wir sprechen hier nur von der sog. Naturlyrik. Wo Huchel sich selbst dieser
Technik bedient, wie wir sie in dem Kapitel ‚Unter der Wurzel der Distel‘
analysierten, geschieht dies mit einer ganz anderen Intention.

9 Wilhelm Lehmann, „Maß des Lobes", loc. cit. Siehe seine in der Einleitung
skizzierte Kritik. Eine Verteidigung Huchels gegen Lehmann bringt auch der
Artikel von Jost Nolte, „Lyrische Fälle — Lehmann contra Huchel", in: *Grenzgänge, Berichte über Literatur.* Wien 1972, S. 13—20.

Riedgras saust grau, Beifuß und Kolk.
Im Dorf kruht müd das Hühnervolk.

Schon klinkt sie auf das dunkle Tor.
Wir tappen in die Kammer vor,
wo mir die Magd, eh sie sich labt,
das Brot brockt und den Apfel schabt.

Ich frier, nimm mich ins Schultertuch.
Warm schlaf ich da im Milchgeruch.
Die Magd ist mehr als Mutter noch.
Sie kocht mir Brei im Kachelloch.

Wenn sie mich kämmt, den Brei durchsiebt,
die Kruke heiß ins Bett mir schiebt,
schlägt laut mein Herz und ist bewohnt
ganz von der Magd im vollen Mond.

Sie wärmt mein Hemd, küßt mein Gesicht
und strickt weiß im Petroleumlicht.
Ihr Strickzeug klirrt und blitzt dabei,
sie murmelt leis Wahrsagerei.

Im Stroh die schwarzen Hähne krähn.
Im Tischkreis Salz und Brot verwehn.
Der Docht verraucht, die Uhr schlägt alt.
Und rehbraun rauscht im Schlaf der Wald.[10]

Die Unterschiede zu Lehmann springen ins Auge: diese Magd ist, wie
wir es hier schon vorwegnehmen wollen, ebenfalls eine Fruchtbarkeitsgöttin, ja, der Archetypus der Großen Mutter, aber sie steht gleichzeitig
mit beiden Beinen in der ihr natürlich angemessenen Umgebung — sie ist
nicht erst durch einen Denkprozeß aus der Mythologie in diese hinein-
transportiert worden. — Versuchen wir nun aufzuzeigen, mit welchen
Mitteln es Huchel gelingt, die Figur dieser Magd ins Mythische zu stei-
gern. Wir stützen uns dabei weitgehend auf die schon genannte und von
Huchel benutzte bahnbrechende Arbeit Johann Jakob Bachofens, *Das
Mutterrecht,* und ziehen auch Erich Neumanns ausführliches Werk *Die
Große Mutter* [11] zu Rate.

Huchel selbst gibt im Gedicht einen deutlichen Hinweis darauf, wie er
die Magd verstanden wissen will. Zwar ist diese Frauenfigur zunächst
durchaus ganz Magd und als solche in das zu ihr passende Assoziationsfeld von Dorfleben, Arbeit im und für das Haus, Aufsicht über die Kin-

---

[10] *Die Sternenreuse,* S. 12.
[11] Vgl. Fußnote 51 des vorigen Kapitels.

der gestellt. Sie ist auch die in Huchels Kindheit eine so bedeutende Rolle
spielende Magd Anna, von der er auf dem Hofe seines Großvaters in
Alt-Langerwisch großgezogen wurde. Die Auswahl der Assoziationen jedoch weist auf die Erweiterung ihrer Funktion im Gedicht, die Huchel mit
jenem „mehr als" in der sechsten Strophe ausspricht. Betrachten wir als
erstes Assoziationsfeld die Pflanzen in Huchels und Lehmanns Gedicht.
Lehmann erwähnt (Huf-) Lattich und Odermennig. Weder die eine noch
die andere Pflanze spielen in Mythologie oder Volksglauben irgendeine
Rolle; sie sind mit der „Göttin der Fruchtbarkeit" nur zufällig verbunden: der Lattich durch die Assoziation „Milch" — „Brüste", der Odermennig durch die Früchte — jede andere Pflanze mit milchigem Saft, jede
andere fruchttragende Pflanze hätten in Lehmanns Garten dieselben
Dienste geleistet wie der Lattich und der preziöse Odermennig. Huchel
dagegen wählt aus: „Bärlapp", „Nußblatt", „Riedgras" und „Beifuß". Bärlapp ist im Volksglauben als Heilmittel bekannt, das unter bestimmten
Bedingungen, nämlich bei Sonnenuntergang, gesammelt und mit der But-
ter der Milch einer jungen Kuh zubereitet werden muß.[12] Im Volksmund
auch als Hexen- oder Drudenmehl bekannt, wurden die Sporen des Bärlapps von Zauberern und Wahrsagern verwendet. Dieser Zusammenhang
fügt sich, anders als die von Lehmann genannten Pflanzen, zwingend in
den Text von Huchels Gedicht, denn hier ist es die Zeit des Sonnenunter-
gangs, „die Vesper hallt", im Bärlapp schleift — zwar nicht der Euter
der Kuh — aber eine milchgefüllte Zitze. Auch ist schon in der Nennung
des Bärlapps das Element des Zauberischen der Magd evoziert, die „leis
Wahrsagerei" murmelt.
Auf die Bedeutung des Riedgrases, als Zeichen der üppigen Fruchtbarkeit des tellurischen Untergrundes, wie er sich vor allem im Sumpf dar-
stellt, hat schon im vorigen Jahrhundert Johann Jakob Bachofen in seinen beiden Werken *Versuch über die Gräbersymbolik der Alten* und *Das
Mutterrecht*[13] hingewiesen. In diesem Bereich war, wie wir im letzten
Kapitel sahen, auch der „Gänseflügel" der „Greisin" in dem späteren
Gedicht *Die Engel* angesiedelt: die Gans als Sumpfvogel, Tier der Urmutter.[14] Auch ist das Gras magisch wirksam, „einmal als nährende Nutz-
pflanze, zum größeren Teil jedoch sekundär als Teil des die Zauberkraft

---

12 Vgl. Artikel *Lycopodium* in Funk-Wagnall, op. cit. Bd. II, S. 656.
13 *Das Mutterrecht*, s. Sachregister, Stichwort: Hetärismus — gleichgestellt
der Sumpfvegetation. *Versuch über die Gräbersymbolik der Alten*, hrsg. v. Ernst
Howald, Basel 1954. Vgl. Wort- und Sachregister, Stichwort: Sumpf, Schilf.
14 Vgl. auch Fußnote 20.

der mütterlich-heiligen Erde verkörpernden Rasens"[15]. „Riedgras saust grau" schreibt Huchel und unterstreicht durch Wiederholung des dunklen Diphthongs, durch Konsonanz und Alliteration, das magische Element, das ,grau' aus dem Urgrund ,saust'. Dies soll in einem anderen Zusammenhang noch erläutert werden.

Entstand so die Assoziation ,Fruchtbarkeit' schon durch die „voll die Zitze" schleifende Geiß und durch das tellurische Wesen des Riedgrases, so wird sie nun — unmittelbar daran anschließend — durch das „Nußblatt", das die Magd „zerreibt", verstärkt. Die Nuß ist eines der bekanntesten Fruchtbarkeitssymbole. So schreibt Hedwig v. Beit: „Die hartschaligen Früchte wie Nüsse und Mandeln waren im Altertum dem Monde zugeordnet, wohl als Symbole der Wiedergeburt und Fruchtbarkeit[16]." Bei Funk-Wagnall ist erwähnt, daß in Griechenland und Rom bei Hochzeiten Nüsse als Fruchtbarkeitssymbole gereicht wurden.[17] Speziell der Zweig nun, mit dem Blatt der Haselnuß, „spielt als Fruchtbarkeitssymbol eine große Rolle in der Volkserotik"[18]. Auch dient die Haselnuß als Schutz vor Dämonen, Gewitter und Ungeziefer. Interessant ist in unserem Zusammenhang die von Hedwig v. Beit erwähnte Zuordnung der Nuß zum Mond und damit noch einmal zum Weiblichen, insbesondere zur Urmutter[19] — so verschmelzen Magd und Mond in der siebenten Strophe; aber dies wird noch genauer zu untersuchen sein.

Ganz eindeutig wird Huchel schließlich mit der Nennung des Beifußes, dem er bezeichnenderweise ein ganzes Gedicht, *Am Beifußhang*, widmet, das ebenfalls Geborgenheit in der Kindheit, so wie die fruchtende Fülle der Erntedankzeit zum Thema hat; auch dort erscheint die Figur der Magd. Der Beifuß nämlich ist die volkstümlich im Deutschen ,Mutterkraut' genannte Pflanze, der die Römer den Namen ,Artemisia' gaben. „Artemisia is the woman's and maiden's plant: named for and sacred to Artemis [...]. For centuries in Europe and Asia, mugwort was regarded as a magic herb sought by witches, occultists and crystal gazers", heißt es bei Funk-Wagnall.[20] So nähern wir uns also auch im „Beifuß" wieder

---

[15] H. Bächtold-Stäubli, *Handwörterbuch des deutschen Aberglaubens*, Artikel ,Gras' in Bd. III, Berlin/Leipzig 1930/1931, Spalte 1114.

[16] Symbolik des Märchens, Bern 1960—65, Bd. I, S. 760.

[17] op. cit. Bd. II, S. 1164.

[18] H. v. Beit, op. cit. Bd. I, S. 726.

[19] Vgl. dazu: Erich Neumann, Über den Mond und das matriarchalische Bewußtsein. *Eranos Jahrbuch*, Bd. XVIII, 1950, S. 323—376.

[20] op. cit. Bd. II, S. 759. In dem späten Gedicht *Auf den Tod von V. W.* weist Huchel auf die Nähe des Beifußes zum tellurischen Untergrund des Teiches und erwähnt auch den Sumpfvogel, der uns schon in Gestalt der Gans begegnet war:

den beiden schon anvisierten Bereichen „Urmutter" und „Wahrsagerei",
ja, diese Urmutter wird sogar in ihrer besonderen Gestalt der Fruchtbarkeitsgöttin Artemis des Lehmannschen Gedichtes evoziert — nun aber so,
daß sie tatsächlich in der Pflanze, d. h. in jeder Artemisia gegenwärtig ist.
Das verstehen wir unter der Wiederholbarkeit des Mythos, unter der
„zeitlosen Gegenwart" als die Lehmann ihn richtig interpretierte. Wir
müssen aber hinzufügen, daß Huchels Bärlapp, Nußblatt, Riedgras und
Beifuß diese Zeitlosigkeit eher besitzen als Lehmanns „Diana der
Epheser".

Soweit der Vergleich mit Lehmann. Was wir aus ihm erkannten, war
— bei Huchel — eine Mythisierung von *innen* heraus, eine echte ‚Heiligung der Erde' in Kahns Sinne, die in allen genannten Teilen Manifesta-
tion eines göttlichen Prinzips, der Großen Mutter, ist. Dies soll nun, nach
den Pflanzen, auch an weiteren auf sie hinweisenden Aspekten dieses und
anderer Gedichte demonstriert werden. Wir werden dabei immer wieder
auf *Die Magd* als erstes und zentrales Gedicht zurückkommen, da viele
Motive hier am deutlichsten ausgeführt sind.

Erich Neumann beleuchtet den uns hier interessierenden Zusammenhang von Fruchtbarkeit, Mond und ‚Wahrsagerei' in der Figur der Großen Mutter in einem Abschnitt, der uns gerade für dieses Gedicht sehr
relevant erscheint, so daß wir ihn ausführlich zitieren wollen:

Als Symbol der selber wachsend und vergehend sich wandelnden himmlischen
Gestalt ist der Mond archetypisch Herr des Wassers, der Feuchtigkeit und
der Vegetation, d. h. alles Wachsend-Lebendigen. Er ist der Herr des psycho-
biologischen Lebens und damit Herr des Weiblichen in seiner archetypischen
Wesenheit, deren menschlicher Repräsentant die irdische Frau ist. Mit der
Herrschaft über die psychobiologische Welt der Feuchte und des Wachstums
unterstehen ihm alle Wasser der Tiefe, alle Ströme, Seen, Quellen und
Säfte [...]. Die Fruchtbarkeit der Jagdtiere, der Herden, der Felder und

---

Mit einem Teich begann es,
dann kam der steinige Weg,
der umgitterte Brunnen, von Beifuß bewachsen,
[...]
ein Vogelgeist,
halb Bussard, halb Schwan,
hart über dem Schilf,
[...]
(Gezählte Tage, S. 30)
Bachofen erwähnt den Schwan neben der Gans als Zeichen des weiblichen Natur-
prinzips des Sumpfes in *Gräbersymbolik*, S. 45.

der menschlichen Gruppe steht im Mittelpunkt dieser Welt, die damit weitgehend Welt des Weiblichen, des Nährenden und des Gebärenden, d. h. aber Welt der Großen Mutter ist, über die der Mond herrscht.

Zu dieser Fruchtbarkeit, die von der Menschheit im Weibe als der Herrin des gebärenden Schoßes und der nährenden Brüste, des Blutes und des Wachstums verehrt wird, gehört von Anfang an das Fruchtbarkeitsideal als Versuch der Menschheit, mit Hilfe der Magie die numinosen Mächte, von denen die Nahrung und mit ihr das Leben abhängen, zu beeinflussen. Deswegen ist die Fruchtbarkeit in hohem Maße abhängig von der magischen Tätigkeit des Weiblichen, über welcher der Mond steht, als die sie dirigierende transpersonale Macht. Zauber, Magie, aber auch Inspiration und Weissagung gehören ebenso zum Monde wie zum Weiblichen.[21]

Das hier ebenfalls angeschnittene feucht-tellurische Element als Bild sich stets erneuernden Wachstums wird an anderer Stelle zu behandeln sein, wenn andere Gedichte mehr Material liefern werden. Immerhin findet es sich auch schon in *Die Magd*, wie wir oben bei der Behandlung des Riedgrases sahen; hier muß nun noch der „Kolk" hinzugefügt werden, nach Wahrigs Definition eine „Vertiefung, Aushöhlung im Flußbett", ein Wort das etymologisch mit ‚Kehle' verwandt ist[22], dem also die Vorstellung des verschlingenden Strudels, der saugenden Tiefe unterliegt; auch das müssen wir für die spätere Diskussion im Auge behalten.

Auch auf die Verbindung des Weiblichen mit Herd und Backen, das dem Prozeß des Gebärens verwandt ist, geht Neumann ein:

> Ebenso ist in den weiblichen Urmysterien des Kochens, Backens, Gärens und Brennens das Reifwerden, Garwerden und Verwandeltwerden immer gebunden an einen abzuwartenden Zeitablauf. Das Ich des matriarchalen Bewußtseins ist gewöhnt stillezuhalten, bis die Zeit günstig, der Ablauf vollendet, die Frucht des Mondbaums reif geworden ist als Vollmond.[23]

Ganz ähnlich ist die Vorstellung in *Die Magd*:

> Die Magd ist mehr als Mutter noch.
> Sie kocht mir Brei im Kachelloch.
>
> Wenn sie mich kämmt, den Brei durchsiebt,
> die Kruke heiß ins Bett mir schiebt,
> schlägt laut mein Herz und ist bewohnt
> ganz von der Magd im vollen Mond.

---

[21] E. Neumann, *Über den Mond . . .*, S. 335.
[22] Gerhard Wahrig, *Deutsches Wörterbuch*. Einmalige Sonderausgabe, Gütersloh 1968.
[23] E. Neumann, *Über den Mond . . .*, S. 354.

In *Die Große Mutter* betont Erich Neumann die Bedeutung des Ofens als Symbol des weiblichen Schoßes und damit die Heiligkeit des Brotes über das sie wacht.[24] So „kocht" hier die Magd „im Kachelloch" und sie „brockt" „das Brot", so wie sie in dem Gedicht *Herkunft* „vom Brotlaib schnitt"[25]. In der nur in *Sinn und Form* veröffentlichten *Chronik des Dorfes Wendisch-Luch* erscheint die Große Mutter in der Gestalt der Alten:

> Am Fahrweg, hinter Wendisch-Luch,
> seh ich die Alte heimwärts gehn —
> [...]
> Die Alte, die die Zacken schlug,
> sie wird sich ihre Suppe kochen.
> Sie findet ihre Milch im Krug.[26]

In *Die Spindel* sitzt „Die Alte, / Am Küchenfeuer"[27].

Deutlich ist in der Chronik wieder, wie schon in *Die Magd*, die Verbindung der Großen Mutter mit der Milch als dem alles nährenden Element. Dazu gehört, als ihr wichtigstes Symboltier, die Kuh. Bachofen führt dazu als Beleg die vierte pythische Ode Pindars an, in der dieser von der „mia bous mater" spricht. Bachofen schreibt:

> Die Bezeichnung der Mutter als ‚bous' hat ihren Grund in der Verbindung
> der säugenden Kuh mit der Erde, als deren Bild sie angesehen und namentlich
> in den aegyptischen und asiatischen Religionen verehrt wird: ‚omniparentis
> terrae fecundum simulacrum' nennt sie Apuleius im eilften (sic!) Buch der
> Metamorphosen. Als ‚bous' wird also das Weib der Erde verglichen und in
> seiner Beziehung zu dem Muttertum des Erdstoffes dargestellt.[28]

Auch gibt es zahlreiche Belege, daß die Kuh, als Sinnbild der Erdmutter, dem Monde gleichgesetzt wurde; am bekanntesten ist der Mythos der von Zeus in eine weiße Mondkuh verwandelten Io. War bei Huchel *Die Magd* von der Geiß mit der vollen Zitze begleitet und in ein „Milchgeruch" ausströmendes Schultertuch gehüllt, so folgen in der *Chronik*, den eben zitierten, die Zeilen:

> Dorf Wendisch-Luch,
> im schwarzen Röhricht deiner Schleuse
> lag hohl die Kuh und halb verbrannt,
> aus hellen Knochen eine Reuse.

---

24 op. cit. S. 270.
25 *Die Sternenreuse*, S. 10.
26 *Sinn und Form*, 3. Jahrgang, 1951, 4. Heft, S. 137.
27 *Chausseen Chausseen*, S. 48.
28 *Das Mutterrecht*, S. 428.

Mit der in der *Chronik* berichteten Heimkehr der Alten nach „Brand und Qual und Hungerwochen" kehrt jedoch auch das Leben zurück, es wird wieder gesät, und als der Mond(!) steigt, findet sich auch wieder eine Kuh:

> Sie gingen nachts noch hinterm Pflug,
> wenn Mond den Pappelschatten fraß
> und Tau die Ackerkrume trug.
> Im Kummet zog die dürre Kuh.
> Die Furche lief dem Morgen zu.

Der Pflug öffnet die weibliche Furche der Erde zur Befruchtung, so daß Huchel nun den Hymnus an Leben, Erde und Arbeit anstimmen kann:

> O Mensch und Himmel, Tier und Wald,
> o Acker, der vom Wetzstein hallt —

Desgleichen zieht in *Das Gesetz* „die Herde" beim „Milchkannenwaschen" „feueräugig in die Nacht der Ställe" und

> Die Ackerwege
> sind weiß und eben
> vom Ortscheit des Mondes geschleppt.[29]

Nicht ohne Grund schließt Huchel den Band *Die Sternenreuse* mit einem dem Ablauf der *Chronik* folgenden und ebenso hoffnungsvollen Gedicht, *Heimkehr*, das, nach Krieg und Kriegszerstörung, wie sie im dritten und letzten Abschnitt des Bandes beschrieben werden, den Bogen zurückschlägt zu dem fast am Anfang stehenden *Die Magd* und so Neugeburt und Neubeginn erhoffen läßt:

Heimkehr
> Unter der schwindenden Sichel des Mondes
> kehrte ich heim und sah das Dorf
> im wässrigen Dunst der Gräben und Wiesen.
>
> Soll ich wie Schatten zerrissener Mauern
> hausen im Schutt, das Tote betrauern,
> soll ich die schwarze Schote enthülsen,
> die am Zaun der Sommer vergaß,
> sammeln den Hafer rissig und falb,
> den ein eisiger Regen zerfraß?
> Fauliger Halm auf fauligem Felde —
> niemand brachte die Ernte ein.

---

[29] *Sinn und Form*, 2. Jahrgang, 150, 4. Heft, S. 135.

Nessel wuchert, Schierling und Melde,
Hungerblume umklammert den Stein.

Aber am Morgen,
es dämmerte kalt,
als noch der Reif
die Quelle des Lichts überfror,
kam eine Frau aus wendischem Wald.
Suchend das Vieh, das dürre,
das sich im Dickicht verlor,
ging sie den rissigen Pfad.
Sah sie schon Schwalbe und Saat?
Hämmernd schlug sie den Rost vom Pflug.

Da war es die Mutter der Frühe,
unter dem alten Himmel,
die Mutter der Völker.
Sie ging durch Nebel und Wind.
Pflügend den steinigen Acker,
trieb sie das schwarzgefleckte
sichelhörnige Rind.[30]

Das Antibild der Unfruchtbarkeit und des Elends — unterstrichen auch durch die pflanzliche Gegenwelt zu *Die Magd*: Nessel, Schierling, Melde und Hungerblume — wird überwunden in der Rückkehr der „Frau aus wendischem Wald", der Großen Mutter, die an dieser Stelle zum erstenmal von Huchel beim Namen genannt wird. Unübersehbar ist die kreisförmige Struktur des Gedichtes sowie die Gleichsetzung von Mond, Rind und Urmutter: „Unter der schwindenden S i c h e l des Mondes", d. h. als die „Frau aus wendischem Wald" noch nicht zurückgekehrt war, ist die Öde noch allgemein — sie ist überwunden im s i c h e l hörnigen Rind, das die Mutter der Frühe vor sich hertreibt. So beschwört Huchel auch in einem anderen Gedicht die schon im Titel genannte uranfängliche *Frühe* und schreibt:

Mondhörnig schüttelt
sein Haupt das Rind.[31]

Auch in *Die Magd* kehrt Huchel in der letzten Strophe zu den Zeilen des Anfangs zurück:

Der Docht verraucht, die Uhr schlägt alt.
Und rehbraun rauscht im Schlaf der Wald.

---

[30] *Die Sternenreuse*, S. 92.
[31] ibid., S. 29.

und macht damit in dem kleinen Rahmen der beiden Gedichte sichtbar,
was auch ihre Disposition am Anfang und Ende des Bandes andeutet:
Zeitlosigkeit und ewige Wiederkehr — ,alt' schlägt die Uhr in *Die Magd*,
,alt' ist der Himmel in *Heimkehr* — wie sie noch jeder Interpret als das
Wesen des Mythischen erkannt hat.

Unschwer erkennen wir nun im nächsten Gedicht die Gestalt der Urmutter und ihre Attribute: „das Gras", das „seine Seele" aussandte, als
Verkörperung der „mütterlich-heiligen Erde" (Bächtold-Stäubli) und den
„milchigen Mond":

Damals

Damals ging noch am Abend der Wind
mit starken Schultern rüttelnd ums Haus.
Das Laub der Linde sprach mit dem Kind,
das Gras sandte seine Seele aus.
Sterne haben den Sommer bewacht
am Rand der Hügel, wo ich gewohnt:
Mein war die katzenäugige Nacht,
die Grille, die unter der Schwelle schric.
Mein war im Ginster die heilige Schlange
mit ihren Schläfen aus milchigem Mond.
Im Hoftor manchmal das Dunkel heulte,
der Hund schlug an, ich lauschte lange
den Stimmen im Sturm und lehnte am Knie
der schweigsam hockenden Klettenmarie,
die in der Küche Wolle knäulte.
Und wenn ihr grauer schläfernder Blick mich traf,
durchwehte die Mauer des Hauses der Schlaf.[32]

Die neu hinzutretenden Attribute bedürfen einer Erläuterung. Sofort
fällt die „heilige Schlange" auf. Die Bedeutung, die sie in frühen mythologischen Vorstellungen als Zeichen von Zeugung, Geburt, Tod und Wiedergeburt in Verbindung mit der Großen Mutter hatte, faßt Joseph
Campbell unter dem Titel ,The Serpent's Bride' treffend zusammen:

The wonderful ability of the serpent to slough its skin and so renew its
youth has earned for it throughout the world the character of the master
of the mystery of rebirth — of which the moon, waxing and waning, is
the celestial sign.

Dazu kommt die Bedeutung der Schlange als tellurisches, Erd- und
Sumpf bewohnendes Tier; als Todbringer und Phallussymbol:

---

[32] *Die Sternenreuse*, S. 18.

Dwelling in the earth, among the roots of trees, frequenting springs, marshes, and water courses, it glides with a motion of waves, or it ascends like a liana into branches, there to hang like some fruit of death. The phallic suggestion is immediate, and as swallower, the female organ is also suggested.[33]

Im Gedicht liegt die Schlange „im Ginster", der, nach Bächtold-Stäubli, aufgrund seines üppigen Blühens im Vegetationskult eine Rolle spielte.[34] Auch der Hund gehört zum Bereich der Großen Mutter. Er erscheint als Symboltier der griechischen Artemis und der ägyptischen Isis, wohl, wie Bachofen meint, weil er das Bild „der hetärischen, jeder Befruchtung sich freuenden Erde" ist.[35] Ähnliches gilt auch für die Katze, die hier in Gestalt der katzenäugigen Nacht erscheint; sie genoß als Tier der großen Mutter Verehrung besonders in Ägypten. Keinen Zweifel an der absichtsvollen, sie zu Symboltieren von Erde, Mond und Mutter machenden Auswahl von Katze und Hund läßt das recht ähnliche Gedicht *Der Glückliche Garten*:

> Da saßen wir abends auf einer Schwelle,
> ich weiß nicht mehr, vor welchem Tor,
> und sahn wie im Mond die mondweißen Felle
> der Katzen und Hunde traten hervor.
> [...]
> Und wenn dann die Mägde uns holen kamen,
> umfing uns das Tuch, in dem man gleich schlief.[36]

Daneben läßt sich noch das nur in der *Literarischen Welt* veröffentlichte *Mädchen im Mond* stellen, in dem Katze, Frauengestalt, Erde und Mond in eins verschmelzen:

> Dort wo das Schilf im Winde lebt
> und stiller an die Sterne schwebt,
> gehst du vorbei mit weissem Schuh,
> du blühst wie Schilf dem Monde zu.
>
> Auf dein mongolisches Gesicht
> von gelben Gräsern fällt ein Licht,
> auf deine Wimpern, deine grauen,
> auf deine gräserdünnen Brauen.

---

33 In *Occidental Mythology*, London 1965, S. 9.
34 op. cit. Band III, Spalte 852.
35 *Das Mutterrecht*, S. 106.
36 *Die Sternenreuse*, S. 42.

In deinen schrägen Augen wohnt
die Katze mit dem Fell aus Mond.
[...] [37]

Nun zur „hockenden Klettenmarie" selbst. Über die vielen Darstellungen einer hockenden Göttin und den Nachdruck, den die Skulpturen dem weiblichen Gesäß geben, führt Erich Neumann aus, daß es sich um ein symbolisches ‚Be-sitzen' der Erde handelt. Der sitzende Charakter, auch eine häufige Gebärstellung, stellt eine enge Bindung an die Erde dar, in der die Urmutter wie ein Hügel oder Berg zur Erde gehört, von der sie ein Teil ist und die sie verkörpert. [38] So wohnt der Sprecher des Gedichtes „am Rand der Hügel", oder er liegt im Mutterkraut *Am Beifußhang,* also ganz buchstäblich ‚am Busen' der als Göttin Artemis erlebten Erde, und in dem späteren Gedicht *Eine Herbstnacht* heißt es, in der zuerst in *Sinn und Form* veröffentlichten ursprünglichen Fassung:

In Bäumen und Büschen wehte dein Haar,
Uralte Mutter, die alles gebar,

[...]

Die Erde fühlend mit jeder Pore,
Hörte ich Disteln und Steine singen.
Der Hügel schwebte. [39]

In dem in der Einleitung schon erwähnten Jakob-Böhme-Gedicht *Alt-Seidenberg* kommt es zur Vereinigung von Himmel und Erde: „Der Hügel trug den Himmel / auf steinigem Nacken". Böhmes Biograph Franckenberg betont hier ausdrücklich [40], daß der Hügel, auf den sich Huchels Gedicht bezieht, die geröllbedeckte Landeskrone bei Görlitz, durch die geheimnisvolle, mit Schätzen lockende „Höhle", in die Böhme sich verirrt, als Venusberg gekennzeichnet ist. Huchel gebraucht dasselbe Bild in der frühen Fassung von *Zunehmender Mond*: „Und die Brücke wird zum Hügel / und die Sichel schimmert breit. [...] Erd' und Himmel / will sich mischen [41]."

Beispiele für die Hockstellung der Magd sind in Huchels Gedichten häufig: „Im öden Schatten hockt die Magd" in *Dezember* [42], auch die

---

[37] *Die literarische Welt* 8, 1932, Heft 15/16, S. 1.
[38] Neumann, *Die Große Mutter,* S. 102.
[39] 5. Jahrgang, 1953, 5. Heft.
[40] Franckenberg, op. cit. § 5, zitiert nach A. Koyré, op. cit. S. 14. Vgl. das Zitat aus dem Gedicht auf S. 16.
[41] In: *Das Innere Reich* 7, 1934/35, S. 814. Die spätere Fassung in *Die Sternenreuse,* S. 69.
[42] *Die Sternenreuse,* S. 36.

„weiß im Petroleumlicht" strickende *Magd* müssen wir uns sitzend vor-
stellen — die Klettenmarie, in einer ähnlichen Beschäftigung, knäult
Wolle —, in der *Chronik* ist die Alte „g e d u c k t ins grobe Schultertuch" der Erde nahe, in *Das Gesetz* finden wir „hockend am kalten Meilenstein, die Greisin", und in *Die Spindel* sitzt — so müssen wir annehmen — „Die Alte, am Küchenfeuer" und spinnt.

Ein Blick auf Bachofen erklärt die seltsame Gestalt der Klettenmarie.
„Die Hülse ist der Mutterschoß, in welchem der Same sich entwickelt",
schreibt er. „Damit hängt zusammen, daß die Hülsenfrüchte, insbesondere die Erbsen und die Nüsse, der Erdgottheit geweiht sind[43]." Die
Klette, als Samenkapsel neues Leben beschützend und gebärend, ist eines
von vielen Behältnissen, wie sie auch Erich Neumann als gefäßförmige
Symbole des weiblichen Schoßes analysiert.[44] Dazu gehören, wie schon
das „Kachelloch" in *Die Magd*, Nuß, Apfel und Kienzapf in demselben
Gedicht sowie die „Kiepe" *(Die Magd)* und der „Bastkorb":

> Oktober, und den Bastkorb voll und pfündig
> die Magd in Spind und Kammer trägt,

in dem sie „die letzte Honigbirne" und „die letzte Walnuß" sammelt
(Oktoberlicht[45]*)*. Dies gilt nun auch für die Distel und den Stein, die wir
bereits als Zeichen des Verbergenden, Schutz-Gewährenden ausführlich
untersuchten. Wir zitierten eben schon aus *Eine Herbstnacht* die Zeilen:
„Die Erde fühlend mit jeder Pore, / hörte ich Disteln und Steine singen";
desgleichen in *Am Beifußhang*:

> Es rauschte aus dem Klee der Schlaf
> und Beifuß meine Füße traf.
> Kratzdistel stäubte blind.

Sinnbild des Schutz gebenden Mutterschoßes ist auch die Muschel, die
sich in *Hinter den weißen Netzen des Mittags* und in *Le Pouldu* als Zeichen des Rettenden erwies. Dazu ein Zitat aus Bachofen: „In der Muschel
hat des Muttertums rein physische Geschlechtlichkeit [...] Ausdruck gefunden. Die doppelschalige Muschel ist [...] das aphroditische Bild der
weiblichen kteis, und darum selbst bei den Griechen noch mit übelabwen-
dender Amulettkraft ausgerüstet[46]." Nicht zufällig ist es in *Hinter den*

---

[43] *Das Mutterrecht*, S. 197.
[44] *Die Große Mutter*, s. Sachregister.
[45] *Die Sternenreuse*, S. 24.
[46] *Das Mutterrecht*, S. 117.

weißen Netzen des Mittags die weibliche Gestalt der Nausikaa, die den
gestrandeten Odysseus aufnimmt.[47]

Aber zurück zur Klette: In Huchels schönstem Kindheitsgedicht, *Kindheit in Alt-Langerwisch,* kriecht der Knabe „ins Kellerloch"(!),

> wo es unten nach Winterstroh,
> Nüssen und Äpfeln roch.

„Mond" und „Kühe" begleiten ihn in den Schlaf:

> Und die Träume flogen wie Spreu,
> warfen ins Haar die duftende Klette.

War *Am Beifußhang* die „Kratzdistel" sinnbildlicher Ausdruck müt-
terlich umhüllenden Schlafes, ist es hier die „duftende Klette", so endet
auch *Damals* mit dem Schlaf im schützenden weiblichen Schoß der
„schweigsam hockenden Klettenmarie":

> Und wenn ihr grauer schläfernder Blick mich traf,
> durchwehte die Mauer des Hauses der Schlaf.

Noch einmal — und am ausführlichsten — behandelt Huchel den Zu-
sammenhang: Kind — Magd — Samenkapsel in dem Gedicht *Wilde
Kastanie,* das in seiner zweiten Strophe den Abschied von der Kindheit,
das Hinausgeworfenwerden aus dem Schutz der „Stachelschale" (Klette,
Distel!) evoziert und endet mit dem Bild des von „des Windes Kelle [...]
auf der Chaussee" Hingetriebenen — so als deutete Huchel schon das
Unbehaustsein des Menschen an, das sich dann in seinem zweiten Band
Chausseen Chausseen im Titel ausdrückt:

> ### Wilde Kastanie
> Nicht eßbar, doch voll braunem Knallen,
> wenn sie die Magd ins Feuer drückt,
> die liebste Beere wohl von allen,
> nach der das Kind im Herbst sich bückt:
> sie hängt in rauher Stachelschale
> und unterm breiten Blätterstern,
> zu groß für eine Amselkralle
> und für die kleine Hand zu fern.
>
> Doch wenn der Sturm der roten Blätter
> bis in die alten Wipfel stößt,

---

[47] Vgl. auch *Der polnische Schnitter:*
> Wie eine große Muschel
> rauscht der Himmel nachts.
> Sein Rauschen ruft mich h e i m. (Hervorhebung vom Autor)

im raschelnden Oktoberwetter
die Spinne aus dem Netz sich löst,
dann springen braun Kastanienbälle
von allen Ästen der Allee,
sie rollen, von des Windes Kelle
getrieben hin auf der Chaussee.[48]

In *Damals* wird die Nacht als „katzenäugig" belebt und im Possessiv
zu einer vertraut geliebten Gestalt. Die Parallelstellung: „mein war [...]
die Nacht", „mein war [...] die heilige Schlange", verbindet beide, Nacht
und Schlange, zu einem allumfassenden, im Schlaf Schutz und Wiedergeburt verleihenden Muttersymbol, das sich schließlich zur hockenden
Klettenmarie, in deren Schoß, am Knie gelehnt, der Knabe sich birgt,
konkretisiert. Denn der Nacht entspricht ja der dunkle Mutterschoß[49],
so wie sich auch im „Hoftor" der weibliche Eingang ins „Dunkel", in
den Schlaf öffnet. Nicht nur in diesem Gedicht. Auch in *Die Magd* hieß
es von der Mutterfigur: „Schon klinkt sie auf das dunkle Tor", in dem
eben zitierten *Der glückliche Garten*

saßen wir abends auf einer Schwelle,
ich weiß nicht mehr vor welchem Tor.

und, in *Am Beifußhang,* wo, wie wir sagten, die Große Mutter schon in
der ‚Artemisia' des Titels evoziert war, schreibt Huchel, nachdem er die
„Mägde" erwähnt:

durchs Tor fuhr auch der Bindebaum,
der trug das wilde Gras vom Traum.

Im Gras saß ich, mit müdem Haar,
das gelb verschlafen von Lupinen war.

Zu der Torsymbolik tritt, als Hülle von Schlaf und Nacht, immer wieder das ‚Tuch', besonders das ‚Schultertuch', das den geduckten, erdnahen
Charakter der ‚Magd', der ‚Alten' oder der ‚Greisin' verstärkt:

Ich frier, nimm mich ins Schultertuch.
Warm schlaf ich da im Milchgeruch.

(Die Magd)

---

48 *Die Sternenreuse*, S. 39.
49 Dieser aus Freud und Jung geläufige Gedankengang wurde zuerst von
Bachofen ausführlich entwickelt. Vgl. Bachofen, *Das Mutterrecht*, S. 116, 175, 203,
427 etc. und Sachregister, Stichwort ‚Nacht'.

Die Nacht sinkt an der Schleusenmauer.
Es staut sich kalt das graue Wehn.
Am Fahrweg, hinter Wendisch-Luch,
sah ich die Alte heimwärts gehn —
[. . .]
geduckt ins grobe Schultertuch.

(Chronik)

Schließlich breitet sich dieses Tuch, schon syntaktisch von der Großen Mutter gelöst und fast metaphorisch, als Nachthülle aus in *Der glückliche Garten*: „Und wenn dann die Mägde uns holen kamen / umfing uns das Tuch in dem man gleich schlief", um dann in *Die Spindel* zur eigentlichen Metapher zu werden, im „Schultertuch der Nacht". Das geschieht nicht ohne Grund gerade erst in *Die Spindel*, denn dieses Gedicht zeigt, in der Gestalt der am Feuer spinnenden Alten, die Große Mutter nicht nur als Leben spendendes, sondern zum erstenmal offen als Leben vernichtendes Prinzip, so daß nun im „Schultertuch" Schlaf und Tod zusammenrücken und es die alles begrabende Todesnacht meint, die von ihr ausgeht:

Wer hüllt sich ein
In flatternden Wrasen,
Ins Schultertuch der Nacht?
Wer dreht die Spindel
Am sausenden Gras?

Hier rollt „der Faden stürzender Jahre", der Lebensfaden, in rasender Eile ab. So verstanden es auch die Alten. Für sie war die Mutter Erde die Lebengebende und Lebennehmende, wie es Bachofen in den Worten ausspricht, die dann Jung zu seiner Konzeption von der guten und der schrecklichen Mutter entwickelte *(Wandlungen und Symbole der Libido)*:

Alles was die stoffliche Mutter aus ihrem Schoß gebiert, ist dem Untergang verfallen. Es tritt nur ans Licht, um wieder in die Finsternis des Mutterleibes zurückzukehren. Es wird um zu vergehen. In dem Leben schenkt die Mutter den Tod.[50]

In den Gegensatzpaaren Aphrodite und Kore, Athene und Gorgo oder Demeter und Persephone spalteten die Alten dieses Doppelwesen der Mutter Erde sinnbildlich zu zwei Göttinnen auf. Zugleich wird von ihnen aber auch immer wieder die Einheit von guter und schrecklicher Mutter betont. So wird in den Uffizien in Florenz eine Demeterfigur gezeigt, die in der einen Hand das Zeichen des werdenden Lebens, die Ähre, trägt,

---

[50] *Das Mutterrecht*, S. 393.

und in der anderen das des Todes, die Fackel, die sonst nur der Persephone beigegeben ist.[51] Oft findet dieser Gegensatz von Leben und Tod seinen Ausdruck in dem Gegensatzpaar der jungen Göttin, Aphrodite, und der alten, Kore; so ist auch bei Huchel die ‚Magd‘ zumeist das Leben gebende, die ‚Greisin‘ das Leben nehmende Prinzip. Auch das eben noch freundliche Mondsymbol der Mutter kann plötzlich schrecken:

> Athene, die den Ölbaum sprossen läßt, hat zugleich auch dem blassen Orcus seine Entstehung gegeben, und neben der Idee der mütterlichen Fruchtbarkeit die der Sterilität in ihr einheitliches Doppelwesen aufgenommen. Sie ist zugleich [...] der zu aller Zeugung freundlich leuchtende und der todesgrinsende, als Gorgone schreckende und Untergang verkündende Mond.[52]

Mit derselben Ambivalenz ist das Mondsymbol bei Huchel versehen. So hat Walter Jens Unrecht, wenn er in dem genannten Aufsatz „Wo die Dunkelheit endet“ von der lunarischen Natur bei Huchel verallgemeinernd schreibt, sie sei „Weder idyllisch noch trostreich“, weil sie „zu viele Tote, zu viele erschlagene Tiere“ gesehen hat. Dies trifft nur auf den Gorgo-Aspekt des Mondes zu, da wo er im „Gräbergebüsch der Dämmerung“, die ihr „Tuch“ „um Helme und Knochen“ hüllt, zum „Auge der Ödnis“ wird *(Die Pappeln)* — so als erinnerte sich Huchel hier an jene „Sterilität“ der gorgonischen Athene. An anderen Stellen aber, so z. B. in *Die Magd* und in den übrigen Kindheitsgedichten ist der Mond das freundliche Muttersymbol, wie auch in jenen späteren Gedichten, in denen das lebengebende Element überwiegt: *Das Gesetz, Momtschil* u. a.

Nun legt Huchel allerdings schon in den frühesten Gedichten seine Mutterfiguren und deren Symbole auf diese Ambivalenz hin an. Gehen wir noch einmal von dem späteren *Die Spindel* aus: Dort ist „die Alte“ die Parze, die, und das ist kennzeichnend, in der N a c h t „den Faden stürzender Jahre“ abwickelt, am T a g aber mit Milch und Getreide in „Stall und Scheune“ umgeht. So spinnt sie „am Küchenfeuer“,

> Den Scheitel bestäubt von der Kleie
> Des langen Tages
> In Stall und Scheune.

Wie die Figur in den Uffizien ist sie Demeter und Persephone zugleich, denn auch deren Symbol, die Fackel, schwelt im Gedicht zur Grabesliturgie des Windes:

---

[51] Abgebildet bei Campbell, op. cit. S. 15.
[52] Bachofen, *Das Mutterrecht*, S. 211.

> Kienblakende Flamme schlägt hoch.
> Und draußen die Nacht,
> Die rauhen Liturgien des Windes,
> Die Äste brechend über den Gräbern.

Es ist anzunehmen, daß Huchel in der Nennung gerade des S c h e i -
t e l s der Alten, auf dem sich die Kleie des Korns sammelt gleichsam
wie die abgeworfene Hülle des gelebten Lebens, der lebendigen Frucht,
anspielt auf die von der Alten repräsentierten Z w e i h e i t von Leben
und Tod, zwischen denen der Scheitel, die Scheitellinie liegt, die auch im
„Hohlweg" — dies das erste Wort des Gedichtes — an dem die riesige
Spindel steht, und in der „Schlucht" anderer Gedichte desselben Themas
anschaulich wird. Daß über die Assoziation zu Schilf und Sumpfgras das
Haar mit der tellurischen Zeugungs- und Lebenskraft in Verbindung
gebracht wurde, beweisen die Argonautensage, das wallende Haar Iasons,
Apolls und des Pythagoras, das nicht beschnitten werden durfte. Huchel
erwähnt das Haar der Urmutter noch an anderer Stelle und zwar ausdrücklich in der Verbindung zur tellurischen Sumpfzeugung:

> Durch Wasser und Nebel wehte dein Haar,
> Uralte Mutter, die alles gebar,
> Moore und Flüsse, Schluchten und Sterne.[53]

Wobei auch hier, in der Zusammenstellung in einer Zeile von Mooren
und Flüssen als Zeugungsgrund und Schluchten als Todeseingang, dem
Werden das Vergehen an die Seite gestellt wird, die beide aus ihrem
Schoß kamen.[54]

---

[53] *Herbstnacht* (in der ursprünglichen, in *Sinn und Form* veröffentlichten
Fassung, 1953, 5. Heft). Zur Bedeutung des Haares als Zeichen der Sumpffrucht-
barkeit vgl. Bachofen, *Das Mutterrecht*, S. 904.

[54] So auch in dem bereits zitierten Gedicht *Auf den Tod von V. W.*, einer
Frauengestalt:

> Mit einem Teich begann es,
> dann kam der steinige Weg,
> der umgitterte Brunnen, von Beifuß bewachsen,
> [...]
> Dann kam die Nacht,
> [...]
> Manchmal für Stunden ein Vogelgeist,
> halb Bussard, halb Schwan,
> hart über dem Schilf,
> aus dem ein Schneesturm heult.

„Schwan" und „Schilf" sind Zeichen des neuen Lebens, das im Sumpf entsteht,
„Bussard" und „Schneesturm" Zeichen des Todes. Zum „Bussard" vgl. *Unterm
Sternbild des Hercules, Gezählte Tage*, S. 9.

Blicken wir nun von dieser Position auf die früheren Gedichte zurück
und versuchen wir, das von Huchel hier ausgeprägte Doppelwesen der
Mutterfigur schon in seinen Anfängen sichtbar zu machen.

Es fällt bei einem solchen Rückblick sofort auf, daß das ureigentliche
Attribut der *Die Spindel* beherrschenden Parzenfigur, das Garn, schon
präsent war, ohne daß es sich jedoch bei einem unvoreingenommenen
Lesen ins Bewußtsein gedrängt hätte. So hatte Huchel fast dreißig Jahre
zuvor in *Die Magd* geschrieben:

> Sie wärmt mein Hemd, küsst mein Gesicht
> und strickt weiß im Petroleumlicht.
> Ihr Strickzeug klirrt und blitzt dabei
> sie murmelt leis Wahrsagerei.

Desgleichen in *Damals:*

> Im Hoftor manchmal das Dunkel heulte,
> der Hund schlug an, ich lauschte lange
> den Stimmen im Sturm und lehnte am Knie
> der schweigsam hockenden Klettenmarie,
> die in der Küche Wolle knäulte.

In beiden Fällen handelt es sich um Kindheitsgedichte, und dem ist es
nur angemessen, daß in ihnen die Tätigkeit der Muttergestalt nicht, wie
in *Die Spindel*, im Abwickeln des Fadens zum Tode hin, sondern in dem
erst das Lebensmuster des Knaben zusammenfügenden „Stricken" und im
Aufknäueln der Wolle zum Ball, dem Material eines neuen Musters, besteht. Wenn dennoch beide Gedichte unmittelbar danach mit dem Eintritt
des Schlafes enden, so wird doch dessen nun offensichtliche Nähe zum
Tod nicht als bedrohlich empfunden. Denn indem Huchel *Die Magd* abschließt mit der Strophe:

> Im Stroh die schwarzen Hähne krähn.
> Im Tischkreis Salz und Brot verwehn.
> Der Docht verraucht, die Uhr schlägt alt.
> Und rehbraun rauscht im Schlaf der Wald.

so senkt er in fünf Bildern des Verlöschens das Leben in einen Urgrund
ein, der, wie „der Wald" — so das letzte Wort des Gedichtes — Stätte
der Zeitlosigkeit und ewiger Wiedergeburt ist, wechselnd nur in den
jeweiligen Individuationen der einzelnen Bäume aber beständig als im-
merwährendes lebendiges Ganzes. Wie wir schon sagten, ist es diese Anschauung, die der Struktur des Gedichtes sowohl als auch der des Bandes
unterliegt: des Kreises, der schon den Griechen höchster Ausdruck der

Wiederkehr des immer Gleichen war. Ebenso liegt in der F r u c h t kapsel der schläfernden Klettenmarie der Gedanke der Wiedergeburt im Todesschlaf begriffen.

Betrachten wir noch einmal die Tor- und Tuchsymbolik, so kommen wir zu demselben Ergebnis: ihrer Doppelfunktion als Schlaf und Tod, denen aber immer das Attribut der Wiedergeburt beigegeben ist. Wenn Huchel in *Damals* schreibt:

> Im Hoftor manchmal das Dunkel heulte,
> der Hund schlug an [...]

und wir den Hund an früherer Stelle mit Bachofen als Zeichen der tellurischen Zeugung interpretierten, können wir nun, wiederum mit Bachofen, auf das Doppelwesen des Hundes hinweisen, der ja auch das Symboltier von Hekate, Göttin der Unterwelt und der Nacht, war und als Cerberus das Eingangstor zum Hades bewachte. Wir gehen vielleicht nicht zu weit, wenn wir in diesen zwei Zeilen Huchels ein teilweise wörtliches Echo einer Bachofenstelle sehen, die gerade diese Doppelfunktion beleuchtet. Bachofen zählt dort[55] eine Reihe von Hundegestalten aus der griechischen Mythologie auf und gelangt zu dem Schluß, daß sie „aufs deutlichste die Beziehung des Hundes zu der gebärenden Mütterlichkeit und zu der tellurischen Finsternis, die in dem Hund des Orcus und der Bedeutung des nächtlichen Hundegeheuls (bei Pausanias 4, 13.1) noch bestimmter hervortritt" zeigen. So ist es bei Huchel gerade am „Hoftor" als Eingang zu Finsternis und Tod, daß „das Dunkel heulte" — eine Symbolik, die in anderen Gedichten offen zu Tage liegt:

> Nachtgeläut umweht das Haus.
> Und durchs kalte Tor
> gehn die Freunde still hinaus,
> die ich längst verlor.

sagt Huchel in *Herkunft*[56], und schließlich gibt uns *Der Rückzug* VII in allen Einzelheiten die mythologische Vorstellung, um die es uns hier geht:

> Im Laubloch fault der Schnee zu Tau.
> Des Fährmanns Eisen hallt im Rohr,
> im Mund der Toten rostet Geld.
> Der Trauer Hunde stehn am Tor,
> rauh kläffend, wenn der Regen fällt.[57]

---

[55] *Das Mutterrecht*, S. 709.
[56] *Die Sternenreuse*, S. 9.
[57] ibid., S. 88.

So rückt nun in der Vorstellung des Verschlingens, die der Hunde-
gestalt am Todestor unterliegt, auch der negative Aspekt des oben als
tellurisch fruchtbar gedeuteten, etymologisch aber mit ‚Kehle‘ verwandten
‚Kolk‘ in *Die Magd* ins Blickfeld, so wie in den übrigen Kindheitsgedichten die Hunde, da wo sie genannt werden, ebenfalls nur scheinbar un-
schuldige Spielgefährten des Knaben sind, wie sich, etwa in *Kindheit in
Alt-Langerwisch*, in der Juxtaposition mit „Nacht“, „Mond“, dem in der
„Spinne“ evozierten „Faden“ und der oben schon als Tier des Totenreiches ausgewiesenen Fledermaus zeigt:

> Nacht kroch an, von Spinnen bewohnt,
> blakte das weiße Stallicht aus.
> Und wir huschten grau im Mond
> noch mit Hund und Fledermaus.

Wir werden hellhörig für das „grau“, das auch grammatisch hier mehr
ist als eine Farbbezeichnung, scheint es sich doch auf ein Verb zu beziehen,
wenn wir die Worte „Riedgras saust grau, Beifuß und Kolk“ in *Die
Magd* in Erinnerung rufen, wo dieselbe Konstruktion wiederkehrt, und
dieses ‚sausende Riedgras‘ wiederum in Parallele setzen zu *Die Spindel*
und der bedrängenden Frage: „Wer dreht die Spindel aus sausendem
Gras?“ Ebenfalls in diesen Zusammenhang gehört eine Zeile aus dem
schon einmal zitierten *Bericht aus Malaya*, in der, angesichts des drohenden Todes, vom „Sog des Abgrunds im sausenden Haar“ gesprochen
wird.[58] Bezeichnend ist die Berührung „Kolk“ (Kehle) — „Sog des Abgrunds“ und „Gras“ — „Haar“.

Beweiskraft für die Richtigkeit unserer Deutung von Gras und Haar
und deren Parallelität hat das Gedicht über den Tod von *Philipp*[59]:

> Die grashaarigen Kinder
> verleugnen das Licht
> und suchen den Schnee,
> der mit den Krähen über die Berge kommt.
> Die schweigsamen Kinder
> am Eingang der Nacht,
> [...]

Noch einmal begegnet uns der Hund in *Wendische Heide*.[60] Auch hier
ist er ein als bedrohlich empfundenes Tier, in dem sich der Tod ankün-

---

58 *Neue deutsche Literatur* 4, 1956, S. 73.
59 *Die Neue Rundschau* 85, 1974, S. 421.
60 *Die Sternenreuse*, S. 11. Ein weiteres Beispiel für den Hund als Todesbringer
ist das spätere Gedicht *Landschaft hinter Warschau* (*Chausseen Chausseen*, S. 11).

digt, deutlich gegenübergestellt dem Zeichen der Wiedergeburt, dem (zeugenden) Widder, der die Herde beschützt. Dementsprechend findet nun das gebärende Mutterprinzip und dessen repräsentative Konstellation Magd—Kuh (Geiß) seine männlich zeugende Ergänzung in der Konstellation Hirte—Widder, wobei, wie in *Eine Herbstnacht* die Mutter, so hier der Hirte durch das Adjektiv „uralt" ins Archetypische erhöht und ihr zur Seite gestellt wird:

> Uralter Hirt, das Volk zu hüten,
> gingst du im Staub der Herde nach, [...]
> Umkreist vom Hund, beschirmt von Widdern
> sah ich die Herde weidend ziehn,
> krummhörnig und in Feuern zittern
> und Lämmer müd am Wege knien.

Ausdrücklich geben die letzten Zeilen dem Hirten als Symboltier den Widder bei:

> Umklirrt von leiser Widderschelle
> stand einsam dort der Hirt am Hang.

und es ist nicht abwegig, den an die bedeutungsschwere Stelle am Ende des Gedichtes gesetzten „Hang", wie schon in anderen Gedichten den „Hügel" oder den „Beifußhang" als Gestalt gewordene Mutter Erde zu sehen, mit der sich der Hirt zum mythischen Zeugungsakt vereint. Denn ist sie „die Mutter der Völker" (in *Heimkehr*), so ist es seine Aufgabe, wie der Widder die Herde, „das Volk zu hüten", d. h. durch stets erneute Zeugung, „die Herde", nicht das Individuum, zu bewahren und so den Tod, den Hund der sie umkreist, abzuwehren. Es wurde eben schon in der Behandlung des Todesaspektes in *Die Magd* auf diesen Gedanken-

---

Dort wird der Nachthimmel zum Todesrachen des Hundes, der das Licht des Tages jagt; übrig bleibt der dämonische Rauch des blakenden Feuers:

> Schnell wird es dunkel.
> Flacher als ein Hundegaumen
> Ist dann der Himmel gewölbt.
> Ein Hügel raucht,
> Als säßen dort noch immer
> Die Jäger am nassen Winterfeuer.
> Wohin sie gingen?
> Die Spur des Hasen im Schnee
> Erzählte es einst.

Hier ist der ,Hügel‘ vom männlichen Prinzip verlassen, und der Hund bleibt siegreich.

gang hingewiesen, als vom Einsenken des Lebens in den Urgrund des Waldes die Rede war.

Wir haben bisher die Erdmutter in ihrem Leben gebenden und ihrem Leben nehmenden Aspekt behandelt und konnten zeigen, daß die unauflösliche Verbindung, die sie im Denken der Alten eingeben, auch für die Auffassung Huchels charakteristisch ist. Mit dem letzten Gedicht sind wir nun bei dem Prinzip angelangt, das das von uns schon angeschnittene zyklische Wesen des Weltablaufs erst eigentlich begründet: dem zeugend-phallischen, das sich, in der Abwehr des Hundes, als triumphierend über den Todesaspekt der Erdmutter erweist und für Huchel, wie noch darzustellen ist, ebenso wie für die Alten, die zentrale Stelle im Glauben an die ewige Wiederkehr innehält. Mit diesem Prinzip will sich der letzte Abschnitt dieses Kapitels beschäftigen.

Von den verschiedenen Formen, die es in den frühen Gedichten annimmt, war uns, in *Damals,* schon die „heilige Schlange" begegnet. Dazu kamen das Symbolpaar „Hirt" und ,Widder' in *Wendische Heide,* das noch einmal, in *Bartok,* seine Entsprechung in dem Paar „Alter" und „Hahn" findet: dort ist es „regendurstiger (weiblicher) Acker", der unbefruchtet bleiben muß, denn „der Alte ist tot und fort". Ein Wecken der Fruchtbarkeit ist nicht möglich: „Und es weht der Hahnenschrei / an dem schlafenden Fenster vorbei." Daß die Interpretation des Hahns als Zeichen der phallischen Zeugungskraft korrekt ist, beweist eine parallele Stelle aus dem Gedicht *Frühe,* wo die Fruchtbarkeit tatsächlich geweckt wird: „Wenn aus den Eichen / der Tau der Frühe leckt, knarren die Türen, rädern die Speichen / vom Schrei der Hähne geweckt. // [...] Die Sumpffeuer blaken, / die Frösche rühren ihr Paukenfell[61]." Auch in *Das Gesetz* findet die Zeugung im Zeichen des Hahns statt und überwindet den Tod: „[...] die Liebenden, [...], da in den Kämmen der Hähne / das Frührot leuchtet, / [...], sie sehen nicht mehr den Tod, / das weiße Garn der Greisin, [...]". In *Bartok* findet der Hahn keine Antwort, und so ist der Tod mächtig — ein Bild der verschlingenden Finsternis am stygischen Fluß beschließt das Gedicht in den bekannten Zeichen von Nebel und Rauch und zuletzt kehren nur noch die als Tiere der Toten schon erwähnten dämonischen Fledermäuse vom jenseitigen Ufer zurück:

> Hinter dem nebelsaugenden Strauch
> wartet verlassen die Weidenreuse.

---

[61] *Die Sternenreuse,* S. 29. Vgl. auch das Gedicht *Hahnenkämme* in *Gezählte Tage,* wo die Schreckliche Mutter, „eine Alte", das Prinzip des Lebens, „zwei junge Hähne", fesselt. Ihre Hände sind „erdig" (S. 24).

> Abends, über des Flusses Rauch,
> flattern wie immer die Fledermäuse.[62]

Verwandt ist auch das Gedicht *Der polnische Schnitter*, wo die soziale Anklage des Ausgebeuteten hoffnungsvoll in einen Hymnus an die Wiedergeburt aus einer als phallisch geschilderten Zeugungskraft übergeht, aus der eine gerechtere und vollere Welt entstehen soll. Wenn es in den ersten zwei Strophen heißt:

> Klag nicht, goldäugige Unke,
> im algigen Wasser des Teichs.
> Wie eine große Muschel
> rauscht der Himmel nachts.
> Sein Rauschen ruft mich heim.
>
> Geschultert die Sense
> geh ich hinab die helle Chaussee,
> umheult von Hunden,
> vorbei an russiger Schmiede,
> wo dunkel der Amboß schläft.[63]

— so erkennen wir unschwer im tellurischen „algigen Wasser des Teiches" — die Algen gehören zur Haar-, Schilf- und Grassymbolik —, in der Klage des Sumpftieres, der Unke [64] ,und in der Himmelsmuschel, den der Befruchtung harrenden nächtlichen Mutterschoß, dem im folgenden der als weibliches Symbol verstandene „Amboß" entspricht — schlafend wie das „Fenster" in *Bartok* — der durch den Hammer geweckt werden soll. Durch den personifizierenden Schlaf des Amboß sowie durch das adverbial gebrauchte und so wiederum personifizierende „dunkel" wird die Verbindung zur Mutterfigur und der Muschel der Nacht vollzogen. In dem späteren und noch zu besprechenden *Die Pappeln*, ebenfalls ein Gedicht um Tod und Wiedergeburt, wird der Amboß ähnlich gebraucht und der Nacht gleichgesetzt:

> Wenn Korn und Milch an der Kammer schlafen,
> Sprühen die Funken
> Vom Amboß der Nacht.[65]

---

[62] *Die Sternenreuse*, S. 19.

[63] *Die Sternenreuse*, S. 14.

[64] „Enten, Schildkröten, Frösche gehören dem Sumpfe, aus welchem das Schilfrohr als sichtbarer Zeuge der unsichtbaren Kraft emporschießt. Sie weisen alle auf das weibliche Naturprinzip zurück." Bachofen, *Gräbersymbolik*, S. 47.

[65] *Chausseen Chausseen*, S. 66.

Auch in *Der polnische Schnitter* lauert, in Gestalt der heulenden
Hunde, die noch einmal an das bei Bachofen erwähnte nächtliche Hundegeheul erinnern, der Tod auf seine Beute und stellt dem nach, der ihn in
der Zeugung überwinden kann: er „umheult" ihn. Doch hat er diesmal
keine Gewalt, denn die Heimkehr, zu der die erste Strophe in der Be-
schwichtigung der Klage der Unke strebt, ist in der letzten Strophe als
befruchtende Einkehr erahnt; den kosmischen Vergleich der ersten Strophe
wiederaufnehmend, füllt sich nun der Mutterschoß, die Muschel des
Nachthimmels, mit Sternen, die „wie Korn auf der Tenne" schimmern:

> Am Rand der Nacht
> schimmern die Sterne
> wie Korn auf der Tenne,
> kehre ich heim ins östliche Land,
> in die Röte des Morgens.[66]

Eine Parallele zu dem Gedicht, im Bild der Muschel, der wartenden
Unke im algigen Teich und der phallischen Symbolik, bildet die magische

---

[66] Vgl. die sehr ähnliche Vorstellung und Thematik in den folgenden Versen
aus: Heinrich Lersch, *Mensch im Eisen*. Berlin und Leipzig 1925, in denen die
Wendung „kehre ich heim" ebenfalls die befruchtende Einkehr meint (Huchels
Gedicht wurde nicht lange nach dem Erscheinen von Lerschs Werk geschrieben):
> Vater Hammer! So preise ich dich. Vater aller Werkzeuge,
>   Vater allem Weltwerk,
> männlichstes Gerät; gebildet nach dem Werkzeug der Zeugung
> stehst du am Anfang allen Werkes [...] (S. 188)
> Kehre ich heim zu den Müttern, kehr ich auch heim zu dir,
> Amboß, stille Dulderin; ruhender Werkschoß (S. 194)
> O daß in uns die Schöpferkraft aufwachse grenzenlos;
> Daß wir auf dir erzeugen
> Des Lebens fruchtbare Werke.
> O Mutter Amboß, wir schreiten zu dir hin, wie der Landmann
>   schreitet zu seinem Ackerfeld,
> ergreifen den Hammer wie der Pflüger seinen Pflug.
> Das (sic!) wir säen den guten Samen des Eisens
> und lassen das Brot der Freiheit, das wir geschmiedet,
> zukommen allen Menschen (S. 196).
Pongs spricht im Zusammenhang mit diesen Zeilen von der Rückkehr des Prole-
tarierdichters „in die Urvorstellungen primitiven Mutterrechts". „Er numinisiert
die Frau als die Mutter; es ist das gebärende Chaos selbst, das sich in ihm
numinisiert, der Urschoß des Proles, das Proletariat." Pongs, op. cit. Band I,
S. 274. Sicher ein interessanter Parallelfall, der in einer Arbeit, die sich speziell
mit Huchels Quellen und seinen Wurzeln in den zwanziger Jahren befaßte, ein-
gehender untersucht werden müßte.

Beschwörung der Wiedergeburt in *Der Zauberer im Frühling,* wo Huchel schreibt:

> Den Stock stößt er ins Muschelweiß,
> die Unke ruft im Wasserkreis.
> Die Fische ziehn um seine Hand,
> löst er die Algen aus dem Sand.[67]

Charakteristisch für das phallische Prinzip ist es, daß sich die Einkehr zur Zeugung im Zeichen der aufgehenden Sonne, in der „Röte des Morgens", „im östlichen Land" vollzieht; denn wie der Mond Zeichen des Weibes und der Nacht des Mutterschoßes ist, so steht die Sonne für den Mann, wie aus allen frühen Religionen erhellt, in denen sich der Übergang vom Matriarchat zum Patriarchat im Vordringen des Sonnenkultes niederschlug. Von ähnlicher Bedeutung ist das Feuer.[68] So wird in *Vorfrühling* die Wiedergeburt der Natur als Folge einer solchen Vereinigung von männlicher Sonne und weiblicher Nacht, männlichen Feuers und weiblich tellurischer Kühle und Feuchte begriffen. Wieder ist der dunkle, durch die Zeugung zu weckende weibliche Schoß im Bild des Tores gesehen:

> ### Vorfrühling
> Blumen blühn aus Schnee und Feuer.
> Sonne streift das dunkle Tor,
> wo am kalkigen Gemäuer
> sich der Reif der Nacht verlor.
>
> Teiche atmen nebelfreier.
> Knospen starren braun und blind.
> Und es harkt die weißen Schleier
> von den Pappeln fort der Wind.
>
> Licht der Frühe! Bald wird wieder
> heilig nisten das Geschwälb,
> stäubt das Gold der Büsche nieder,
> blüht der Mauerpfeffer gelb.[69]

Dreimal wird der Gedanke der Zeugung ausgesprochen: anfangs im alles weitere auslösenden kosmischen Geschehen, in der Vereinigung von Sonne und Nacht, sodann gespiegelt im tierischen Leben, in den „heilig"

---

[67] *Die Sternenreuse,* S. 40.
[68] Vgl. dazu die Schlagwörter ,Licht' und ,Vatertum' in Bachofens Sachregister zu *Das Mutterrecht* und die ausführlichen Darstellungen, auf die sie verweisen.
[69] *Die Sternenreuse,* S. 67.

nistenden Boten der Wiedergeburt des Jahres, den Schwalben, und schließlich, im Pollen der Büsche, in der Pflanzenwelt. Der Nebel, der sich in *Bartok* als Zeichen des Todes senkte, hebt sich hier vom Teich und gibt das Leben frei.

Nun ist es wichtig, daß bei Huchel diese Vereinigung zwischen männlichem Licht und weiblicher Nacht vor allem da zustande kommt, wo beide sich im Natur- und Tagesablauf treffen, nämlich im Übergang von Nacht zu Tag, von Winter zu Sommer. So füllt sich in *Der polnische Schnitter* der Mutterschoß „am Rand der Nacht", während das letzte Gedicht im Titel *Vorfrühling* und im „Licht der Frühe" jenen Zwischenzustand der Vereinigung meint, der auch die Einheit von Tod und Leben, Sterben und Neugeburt, mitbegreift, wie in dem Gedicht *Exil*[70], wo Huchel schreibt:

> Die dämmernde Frühe
> hebt an, wo Licht und Laub
> ineinander wohnen
> [...]

‚Laub' steht, wir sagten es in der Einleitung, bei Huchel immer für das Sterben — „Licht und Laub" meinen also „Leben und Tod". So heißt es in *Soldatenfriedhof* von den Toten, sie „werfen Laub in die Grachten", und in *Die Spindel* wickelt die Parze

> Den Faden stürzender Jahre.
> Salz weht ins Laub der Totenkrone,
> [...]

Daß sich auch diese Vorstellung auf die frühe Mythologie zurückführen läßt, beweist Bachofen. Von den vielen Belegen, die er für die Bedeutung des Frühlichts bringt, seien nur zwei genannt: Er schreibt von der lokrischen Vorstellung „der taureichen Nacht und dem aus ihrem Schoß hervorgehenden Frühlichte", mit dem sich die „Hoffnung auf Überwindung des Todes verbindet"[71]. Und an anderer Stelle spricht er von der nächtlichen, in Gewölk und Dunkelheit gehüllten Fahrt der Phäaken, während der Odysseus in einem Zauberschlaf liegt, der mit dem Aufgang des Morgensterns endet:

> Tritt hier der dem Mutterrecht und seiner Kulturstufe eigentümliche Prinzipat der Nacht deutlich hervor, so wiederholt sich in dem Schlafe und seiner Beendigung die Vorstellung von dem siegreich das Dunkel über-

---

[70] *Gezählte Tage*, S. 11.
[71] Vgl. Sachregister op. cit., Schlagwort ‚Frühlicht'.

windenden Frühlicht, [...] das dem Glauben an Aufwachen aus dem Todes-
schlafe zum Ausgangspunkt diente. Im Anschluß an diese Vorstellungen wird
Odysseus das Bild des wechselvollen, stets zwischen Rettung und Untergang
schwebenden menschlichen Lebens mit seinen Mühen und dem durch den Tod
vermittelten Übergang in die jenseitige leuchtende Heimat.[72]

Diesem Ablauf, der Heimkehr im Frühlicht unter dem Zeichen des
Morgensterns nach Nacht und Todesdrohung folgt *Der polnische Schnitter,* wie übrigens ganz ähnlich das anfangs untersuchte und nun direkt
auf Odysseus bezogene *Hinter den weißen Netzen des Mittags,* das ja
ebenfalls nach der Todeserfahrung — „mein Mund berührte das schwarze
Gras" — in der Muschel das weiblich-bergende und Wiedergeburt ver-
leihende Zeichen erblickt; dort wird das Frühlicht in den Worten Nausikaas, der Tochter des Königs der Phäaken, evoziert: „Die Sterne verlöschen"; das ist der Aufgang des Morgensterns bei Homer.

Zur weiteren Verdeutlichung des Gesagten seien noch drei der für
Huchels Gebrauch des Frühlichts markantesten Beispiele angeführt; sie
stammen, in dieser Reihenfolge, aus einem Gedicht der sechziger, einem
der fünfziger und einem der zwanziger Jahre. Die Zeichensprache: Muschel, Haar, Tor, Feuer, Rauch, Hähne, Sumpf usw. bedarf keiner Erläuterung.

> Die fahle Frühe,
> Ein Sensenblatt,
> Liegt über der Dünung der See.
> Die Kammer atmet. Blau flutet das Haar.
> Und in der jähen Kehre des Traums
> Treibt über rote Riffe ein Himmel,
> Vom Hauch der Muschel gewölbt.
>
> *(Le Pouldu)*

> O erste Stunde des ersten Tags,
> der die Tore der Finsternis sprengt!
> O Licht, das den Halm aus der Wurzel treibt!
> O Feuer ohne Rauch!
>
> *(Das Gesetz)*

> Wenn aus den Eichen
> der Tau der Frühe leckt,
> knarren die Türen, rädern die Speichen
> vom Schrei der Hähne geweckt.
> Noch unterm Laken

---

[72] *Das Mutterrecht,* S. 753.

des Mondes schlafen die Wiesen, kühl und hell.
Die Sumpffeuer blaken,
die Frösche rühren ihr Paukenfell.

(Frühe)

„Feuer ohne Rauch", Wiedergeburt und neues Leben, vom Tode nicht bedroht — auf diese Formel können wir jetzt Huchels Lichtsymbolik bringen und ihr Nebel und Rauch als Zeichen des Todes und der Vernichtung, d. h. des Zu-Nichts-Werden in der metaphysischen Leere, gegenüberstellen. Daher dann auch, in dem Gedicht über das geteilte Deutschland, *Ankunft*, mit dem das erste Kapitel abschloß, die verzweifelte Frage nicht nur nach der göttlichen Vergebung, wie sie im Bild des Feuers bei Jesaja gemeint war, sondern auch nach der Wiedergeburt aus der tödlichen Zerstörung: „Wer zündet im blakenden Nebel das Feuer an?" Daher in *Widmung* das zu bewahrende Feuerbild nicht nur Abglanz der Göttlichkeit nach ihrem Auszug, sondern als letzte Schicht, vielleicht doch eine Hoffnung auf Neuanfang und Wiederaufstieg, wie sie auch das Thema von *Das Prinzip Hoffnung* ist, dem Hauptwerk Ernst Blochs, dem die „Widmung" galt.

In dem zuletzt zitierten Gedicht *Frühe* spricht Huchel von den „Türen", die vom „Hahnenschrei" geweckt werden, in *Bartók* wehte „der Hahnenschrei an den schlafenden Fenstern vorbei". Die phallisch zeugenden Implikationen des Hahnenschreis im Zusammenhang mit den zu weckenden weiblichen Eingängen, Tür und Fenster, brauchen nicht betont zu werden, stehen sich doch hier Schlaf und Wachen deutlich wie Tod und Wiedergeburt aus der Zeugung gegenüber. Dazu kommt nun, in *Frühe*, noch ein weiteres, zu den Hähnen in Parallele gesetztes phallisches Element, das bisher nicht behandelt wurde, das aber bei Huchel zum bedeutendsten Zeichen für das Wiedergeburtsprinzip wird. Es ist dies der Lebensbaum — „der Tau der Frühe leckt aus den Eichen" —, den Huchel einmal direkt nennt und dem Tod gegenüberstellt, den das Gedicht überwinden will:

> Ein streunendes Huhn
> Drückt mit dem Fuß
> Zart in den Schnee
> Weltalte Schrift,
> Weltaltes Zeichen,
> Zart in den Schnee
> Den Lebensbaum.
>
> Ich kenne den Schlächter
> und seine Art zu töten.

Ich kenne das Beil.
Ich kenne den Hauklotz
[...]

Ich sitze am Schuppen
Und öle mein Gewehr.[73]

So wie es in *Wendische Heide* und *Der polnische Schnitter* zu einem
Akt der Zeugung zwischen dem männlichen Prinzip und der Mutter Erde
gekommen war, vereinen sich beide, in einem anderen Gedicht, in Gestalt von Knecht und Magd, im Zeichen dieses Lebensbaumes. Es ist die
Zeit des Erntedankfestes:

Musik scholl aus dem Heidekrug.
Und Knecht und Magd, im Sensenzug,
sie zogen durch das Erntetor.
Den Strohkranz hielt ein Kind empor.
Durchs Tor fuhr auch der Bindebaum,
der trug das wilde Gras vom Traum.

Sofort einsichtig ist die Spiegelung des Individualgeschehens, der Vereinigung von Knecht und Magd, im größeren Naturzusammenhang: Wie
Knecht und Magd zusammen durchs Erntetor ziehen, um neue Frucht zu
zeugen, so fährt der phallische Bindebaum mit dem Saatgut der Erde und
dem Leben und Tod umfassenden Symbol des Grases durch das weibliche
Tor, so daß die beiden abschließenden Zeilen dann „Gras" und „Haar"
verbinden können im Aufwachen aus dem Schlaf zu neuem Leben:

Im Gras saß ich, mit müdem Haar,
das gelb verschlafen von Lupinen war.

Dies geschieht *Am Beifußhang,* also im Zeichen der Artemisia, im
Schoß der Erdmutter.

Zum durchgehenden Symbol wird der Lebensbaum dann schließlich in
der Pappel. Ihr begegnen wir zuerst in *Der polnische Schnitter,* und zwar
in der Vereinigung mit dem weiblichen Mond — wie im vorigen Gedicht
spiegelt die kosmische die individuelle Zeugung:

Draußen am Vorwerk
schwimmen die Pappeln
im milchigen Licht des Mondes [...]

---

[73] *Winterquartier, Chausseen Chausseen,* S. 67.

Auch zitierten wir schon *Vorfrühling,* wo der Nebel, das Zeichen des Todes, im Frühjahr fortgeweht wird, um das Zeichen des Lebens freizulegen:

> Und es harkt die weißen Schleier
> von den Pappeln fort der Wind.
> Licht der Frühe! [...]

Die Pappel findet sich bei Huchel in elf Gedichten, in denen sie insgesamt siebzehnmal genannt ist. Bei den Alten verband sich dieser Baum mit dem Unsterblichkeitsprinzip des Herakles und der „unstofflichen Männlichkeit des Lichts" (Bachofen), für das dieser steht:

> Die Weißpappel, die Herakles an Acherons Strand entdeckt, liefert allein das Holz, mit welchem die olympischen Opfer entzündet werden. Wenn irgendein Zug des Mythus die Idee der Überwindung des stofflichen Untergangs und der Besiegung des Todes für die Festfeier am Alpheus außer Zweifel setzt, so ist es der [...] Gegensatz zwischen Acheron und alba populus, der durch die besondere Verehrung des Helden in dem elischen Lande und die besondere Fruchtbarkeit des olympischen Taraxippos unendlich an Nachdruck gewinnt.[74]

Huchel übernimmt diese Vorstellung unverändert. Tod und Leben, Hundegeheul und Pappel, der stygische Fluß mit der Fähre und die Geburt am „Fenster", Nebel und Mond, Nacht und Tag stehen sich in einem Gedicht gegenüber, das aus Huchels großem Wiedergeburtshymnus *Das Gesetz* hervorging:

> **Der Treck**
> Herbstprunk der Pappeln.
> Und Dörfer
> Hinter der Mauer
> Aus Hundegeheul,
> Am Torweg
> Eingekeilt der Riegel,
> Das Gold verborgen
> Im rostigen Eisentopf.
>
> Spät das letzte Gehöft.
> Zerschossen trieb die Kettenfähre
> Den Fluß hinab.
>
> Hier sah ich das Kind,
> Gebettet in den kältesten Winkel der Stunde,

---

74 *Das Mutterrecht,* S. 694.

Aus der Höhle des Bluts
Ans Licht zersplitterter Fenster
Gestoßen.
Das Kind war nahe dem Tag. [...] [75]

Überwindung von Tod und Zerstörung durch die in der Pappel präfi-
gurierte Neugeburt ist auch das Thema des folgenden Gedichtes:

Die Pappeln
Zeit mit rostiger Sense,
Spät erst zogest du fort,
Den Hohlweg hinauf
Und an den beiden Pappeln vorbei.
Sie schwammen
Im dünnen Wasser des Himmels.
Ein weißer Stein ertrank.
War es der Mond, das Auge der Ödnis?

Am Gräbergebüsch die Dämmerung.
Sie hüllte ihr Tuch,
Aus Gras und Nebel grob gewebt,
Um Helme und Knochen.
Die erste Frühe, umkrustet von Eis,
Warf blinkende Scherben ins Schilf.
Schweigend schob der Fischer
Den Kahn in den Fluß. Es klagte
Die frierende Stimme des Wassers,
Das Tote um Tote flößte hinunter.

Wer aber begrub sie, im frostigen Lehm,
In Asche und Schlamm,
Die alte Fußspur der Not?
Im Kahlschlag des Kriegs glänzt Ackererde,
Es drängt die quellende Kraft des Halms.
Und wo der Schälpflug wendet,
Die Stoppel stürzt,
Stehn auf dem Hang die beiden Pappeln.
Sie ragen ins Licht
Als Fühler der Erde.

Schön ist die Heimat,
Wenn über der grünen Messingscheibe
Des Teichs der Kranich schreit
Und das Gold sich häuft

---

[75] *Chausseen Chausseen,* S. 62.

> Im blauen Oktobergewölbe;
> Wenn Korn und Milch in der Kammer schlafen,
> Sprühen die Funken
> Vom Amboß der Nacht.
> Die rußige Schmiede des Alls
> Beginnt ihr Feuer zu schüren.
> Sie schmiedet
> Das glühende Eisen der Morgenröte.
> Und Asche fällt
> Auf den Schatten der Fledermäuse.[76]

Es braucht nur noch an bereits Gesagtes erinnert zu werden: an den „Hohlweg", der auch in *Die Spindel* Tod und Leben trennte, an den gorgonischen, den Todesaspekt des Mondes — „Das Auge der Ödnis" —, das im Morgengrauen ertrinkt und von ihm besiegt wird, an das „Tuch" der Magd, der Alten und der Nacht, das im „Tuch aus Gras und Nebel", wie in *Die Spindel*, die Todeshülle meint, an die „erste Frühe", den Vorfrühling, der das „Eis" überwindet und dessen Scherben in die Sumpfvegetation, das Schilf, wirft. Weiter begegnen uns Charon und der Acheron, der phallische Pflug, der die weibliche Erde zur Zeugung „wendet", die Pappeln, wiederum auf dem „Hang", die ihre Fühler „ins Licht" strecken, von dem Bachofen, Pausanias interpretierend, geschrieben hatte, es sei das Zeichen des Herakles, der sie am Ufer des Todesflusses fand.

Die letzte Strophe stellt dem Frühling der zweiten den Herbst entgegen, und zwar mit dem Attribut der aus dieser Zeugung hervorgehenden Frucht und dem Lobpreis der Erde, die sie geboren hat. Solange der (männliche) Hammer Funken vom (weiblichen) „Amboß der Nacht" sprühen läßt und das Korn, der neuen Aussaat harrend, schläft, bleiben die Schatten der Totenwelt und deren Boten besiegt: „Asche fällt / Auf den Schatten der Fledermäuse". Dem schreienden Hahn anderer Gedichte entspricht der Sumpfvogel, der ,schreiende Kranich'.

Ein gutes Beispiel ist auch *Eine Herbstnacht*, wo Huchel in der ersten Fassung von der ,uralten Mutter, die alles gebar' gesprochen hatte und dann im weiteren Verlauf den Zeugungsakt zwischen Himmel und Erde, Licht und Dunkel, in den Konkretisationen von ,Hügel' und ,Pappel' schildert:

> Der Hügel schwebte. Und manchmal schoß
> Den Himmel hinunter ein brennender Pfeil.
> Er traf die Nacht. Sie aber schloß

---

[76] *Chausseen, Chausseen*, S. 65.

> Mit schnellem Dunkel die Wunde
> und blieb über wehenden Pappeln heil.
> Quellen und Feuer rauschten im Grunde.

Die Reihe der Beispiele ließe sich fortsetzen. So gibt Huchel einmal ein Bild vollständiger jede Neugeburt ausschließender Zerstörung, die das zeugende und gebärende Prinzip miterfaßt, in den Worten: „vom Sturz zersplitterter Pappeln erschlagen / liegt eine Frau im schwarzen Geäst" [77]. Auch wäre noch auf *Schlucht bei Baltschik* hinzuweisen, wo es heißt:

> Am Abend hängt der Mond
> Hoch in die Pappel
> Das silberne Zaumzeug der Zigeuner [...]
> Eine Greisin geht durch die Schlucht [...]

und zu zeigen, wie das „glimmende Scheit", das sie „nachts" „aus dem Feuer" hebt und „in das Dunkel der Toten schleudert", noch einmal eine Erweckung aus dem Todesschlaf im Zeichen der Pappel und des Feuers meint, eine Erweckung, die in der Befruchtung der Erde im Morgengrauen, die das Gedicht beschließt, wiederum eine Spiegelung findet:

> Die Pappel steht fahl.
> Die Schildkröte trägt
> Mit sichelndem Gang
> den Tau in den Mais.[78]

Wobei die Schildkröte, wie Bachofen feststellt [79], als Schlamm- und Sumpftier „die Mischung von Erde und Wasser verkörpert [...], aus der alles Leben hervorgeht". Ausdrücklich im Zusammenhang mit „Sumpf" und „Wald" nennt Huchel die Schildkröte in *Kinder im Herbst II:* „Auf Sumpfes Rücken, schildkrötenalt, / stand vor uns der feuchte Erlenwald [80]." Wie in *Heimkehr* das „sichelhörnige Rind" der letzten Zeile auf den Mond der ersten zurückwies, so rundet sich auch hier, im Mond der ersten und dem *sichelnden* Gang der Schildkröte der letzten Zeile, das Gedicht zur mythischen Kreisfigur der ewigen Wiederkehr und belegt noch einmal Huchels Vorstellung von der Korrespondenz, ja Identität, von irdischem Geschehen und dessen Symbolgeschehen am Himmel.

Doch damit soll es sein Bewenden haben; wesentlich Neues zu Huchels Themenkreis würde sich nicht mehr ergeben — bis auf zwei, allerdings

---

[77] *Der Rückzug III.*
[78] *Chausseen Chausseen*, S. 30.
[79] *Das Mutterrecht*, S. 231, vgl. auch Fußnote 64.
[80] *Die Sternenreuse*, S. 26.

sehr wichtige Punkte, die die Frage berühren, mit der das vorige Kapitel abschloß, die Frage nämlich, ob die Kanonisierung der Erde „die Angst vor der Leere und dem Nichts", von der Ludwig Kahn gesprochen hatte, überwinden kann. Daraus ergibt sich die weitere Frage nach dem Stellenwert der Privatmythologie in Huchels Werk und schließlich deren Bedeutung für Huchel selbst. Mit ihnen beschäftigt sich das folgende Schlußkapitel.

‚Unter der blanken Hacke des Monds‘
Todesdrohung und Versuch der Synthese

Diese Arbeit war von der These ausgegangen, daß die geläufigen Kennzeichnungen „politische Lyrik" und „Naturlyrik" Huchels Werk nicht gerecht werden, da man mit ihnen allein bald an eine Grenze stößt, hinter der es zum Rätsel werden muß. Huchel selbst hatte von „Schichten"[1] in seinen Texten geschrieben, vom gleichnishaften Charakter seiner Sprache. Dies legte es nahe zu untersuchen, ob es sich nicht bei der häufigen Wiederkehr gewisser Bilder und Vorstellungen um Zeichen und Chiffren handelt, durch die weitere, über Naturschilderung und Zeitgeschichte hinausgehende Zusammenhänge erschlossen werden. So ging das erste Kapitel vornehmlich jenen Gedichten nach, die am ehesten eine biographisch-zeitgeschichtliche Deutung zulassen, ohne sich jedoch in ihr zu erschöpfen, und führte die Interpretation jeweils an den Punkt, an dem sich der Blick auf eine dahinterliegende Schicht öffnete.

Sei es die leere Transzendenz, die den sterbenden Dichter in *Elegie* erwartet, sei es, in *Südliche Insel,* die schwankende Lampe am Karren des Bauern, die nach der Zerstörung des paradiesischen Zustandes dem Menschen in der Finsternis leuchtet, sei es, in der Gestalt des Odysseus, die Rettung des unbehausten Menschen in der weiblich-bergenden „Muschel" oder, in *Ankunft,* das Feuer der Gnade, das dem sündigen Volk nicht mehr angezündet wird: in allen diesen Gedichten war schon integriert, was in der anschließenden Untersuchung als Gottesfinsternis und Heiligung der Erde im Bilde der Großen Mutter begegnete.

Als wichtigstes Ergebnis dieser Untersuchung muß es gelten, daß Huchel, im Gegensatz zu der in der Einleitung zitierten Feststellung Hans-Jürgen Heises, der Dichter bewältige „sein Leben und seine Zeit" „ohne jede Hilfe durch ein stützendes Glaubens- oder Denksystem"[2], gerade ein solches System schafft, innerhalb dessen seine Lyrik überhaupt erst verständlich wird. Wir erleben bei Huchel die außergewöhnliche Dichte und Konsistenz eines Werkes, das sich über nun bald fünfzig Jahre erstreckt, ohne seine schon im Anfang zur Privatreligion entwickelte Vorstellung von der Welt zu ändern. Es ist dies die Vorstellung einer als

---

[1] Siehe Einführung S. 10.
[2] Siehe Einführung S. 13.

göttlich verstandenen und gerühmten Erde, nicht im pantheistischen Sinne, sondern als eines sein Prinzip allein aus sich selbst heraus empfangenden Weltverlaufs, dessen zyklisches Wesen zwar jede chiliastische Hoffnung ausschließt, aber im Wissen von der ewigen Wiederkehr einen Halt gibt. Das prägnanteste Bild für den ewigen Kreislauf von Geburt, Tod und Neugeburt findet Huchel dann auch in dem so bezeichnend *Das Gesetz* genannten großen Hymnus auf den Wiederaufstieg aus der Zerstörung des Krieges: es ist „das alte Schöpfrad der Nacht", in der Urchaos, Tod und Mutterschoß sich zum ewigen Verschlingen und Wiedergebären vereinen. Bezogen auf die Zentralgestalt der „Greisin" mit ihrem „Garn", entwickelt *Das Gesetz* alle genannten Motive in zusammenhängender Form. Wir bringen das Fragment im Anhang, da es bis auf einzelne, in *Chausseen Chausseen* veröffentlichte Auszüge, nur in *Sinn und Form* zugänglich ist.

So griff Huchel, in einem Akt prometheischer Revolte gegen einen ungerechten Gott, auf eine vor den Erlöserreligionen des Alten und des Neuen Testaments liegende Weltsicht zurück und fand in der allen frühen Völkern gemeinsamen Großen Mutter eine adäquate Personifizierung, deren in Mythologie und Volksglauben vorgeprägte Mannigfaltigkeit der Erscheinungen diese Dichte und Konsistenz erst möglich machte, als sie Huchel ihre Zeichensprache in die Hand gab. Wir setzten den Begriff der Privatreligion mit Bedacht, denn es handelt sich, wie wir meinen, um mehr als eine sich nur im Literarischen vollziehende mythologische Spiegelung von Huchels Gedankenwelt, die er etwa in andere oder wechselnde Formen hätte gießen können. Dafür sprechen die Insistenz, mit der Huchel auf dieser Figur verweilt und die Ausschließlichkeit, mit der er alle Lebensstufen- und Vorgänge auf sie bezieht.

Wir stellten zu Anfang des letzten Kapitels einen Vergleich mit Wilhelm Lehmann an und bemerkten den spielerischen Charakter, den die mit immer wieder neuen Gestalten versuchte Mythisierung des Gegenwärtigen annimmt. Von seinem Standpunkt, daß nämlich die Genauigkeit der Schilderung des einmaligen Augenblicks Aufgabe der Lyrik sei, war es Lehmann verwehrt, hinter der „Unschärfe" Huchels, die er tadelt, einen Sinn zu entdecken. Für ihn macht sich in der Figur der Magd nur „zage" ein „sozialistischer Realismus" bemerkbar, und er mußte zu dem Urteil kommen: „Die schlichten Verse sind nicht bedeutend." Denn bei Huchel handelt es sich nicht um eine immer wieder neu ansetzende, punktuelle Ableuchtung und mythologische Aufladung des jeweils Gegebenen, sondern um eine Erfassung des Bleibenden, das sich hinter den Einzelerscheinungen, sofern diese überhaupt ein Eigenleben führen, offenbart. Lehmanns Mythologie bleibt Zitat, Huchel jedoch will seine mythologische Quelle vergessen machen, um die Erdmutter in unserer Gegenwart zu erkennen und ihr neue Verehrung angedeihen zu lassen. Denn seltsam: Huchel spricht ja an keiner Stelle von einer als griechisch, ägyptisch oder anderweitig antik verstandenen Gestalt, kennzeichnet sie vielmehr — und dies ist nun nachzutragen — als „wendisch“[3], d. h. als beheimatet in der heute noch bestehenden slawischen Restbevölkerung der näheren Umgebung Berlins, einer Bevölkerung, deren Erd- und, im Spreewald, Wasserverbundenheit Huchel das Erlebnis eines zyklischen, an Jahreszeiten und Lebensalter gebundenen Weltverständnisses vermitteln konnte.

So nennt er sie, in *Wendische Heide*, ein „verstreutes Volk von großer Helle“, so als wären sie einer Wahrheit näher, die den schon früher christianisierten Nicht-Wenden verlorenging und glaubt, „geisterhaft Gesang“ bei ihnen wahrzunehmen, der sie mit einer sakralen Weihe umgibt.

An einer Stelle allerdings bricht dieser Kreislauf zusammen: an dem Problem des individuellen Todes. Den Weg von der Geburt zum Tod, dessen einzelne Stationen Huchels Gedichte markieren, und den er einmal, sein Ziel vorwegnehmend, in einem frühen Nachkriegsgedicht so bezeichnet hatte:

> zwischen den beiden
> Sicheln des Mondes wurde ich alt,

um ihn dann doch wieder, wie in *Die Magd*, in das ewige Geschehen des ,Waldes‘ einmünden zu lassen:

> wie der blutgetränkte Fluß,
> wie der aschig trauernde Wald.[4]

Diesen Weg beschreiten die späten Gedichte, bis zu seinem Ende und leugnen nun ausdrücklich die Relevanz eines Mythos, die ihm bis dahin

---

[3] In *Wendische Heide, Heimkehr, Chronik des Dorfes Wendisch-Luch, Ölbaum und Weide*. Durch das Wort „Klöppel“ wird auch das Gedicht *Die Magd* im wendischen Raum angesiedelt. Klöppelspitzen waren ein charakteristisches Produkt des Spreewaldes. In seinem Beitrag „Die wendische Mutter“ (vgl. Vorbemerkung, S. 7, Fußnote 3) bringt Ludvik Kundera wichtige Betrachtungen zur Bedeutung des slawischen Elementes in Huchels Dichtung und erwähnt ein Gespräch mit Huchel, in dem dieser ihm sagte, „diese mythische ,Mutter der Völker‘ habe nach der Apokalypse des Zweiten Weltkrieges nur ,wendisch‘ sein können“.

[4] *Die Schwalbe, Die Sternenreuse*, S. 82.

selbstverständlich gewesen zu sein schien; er sieht sich auf die Nietzschesche Frage zurückgeworfen, die auch hinter seinem Grundproblem der Gottes-finsternis stand:

> Was taten wir, als wir diese Erde von ihrer Sonne losketteten? Wohin bewegt sie sich nun? Wohin bewegen wir uns? Fort von allen Sonnen? Stürzen wir nicht fortwährend? Und rückwärts, seitwärts, vorwärts, nach allen Seiten? Giebt es noch ein Oben und ein Unten? Irren wir nicht wie durch ein unendliches Nichts? Haucht uns nicht der leere Raum an? Ist es nicht kälter geworden? Kommt nicht immerfort die Nacht und mehr Nacht?[5]

> Unter der blanken Hacke des Monds
> werde ich sterben,
> ohne das Alphabet der Blitze
> gelernt zu haben.
> Im Wasserzeichen der Nacht
> die Kindheit der Mythen,
> nicht zu entziffern.
> Unwissend
> stürz ich hinab,
> zu den Knochen der Füchse geworden.[6]

Huchel gebraucht hier das Wort ,Mythos' zum erstenmal, so als versuche er nun — 1971 — den wesentlichsten Bestandteil seiner Vorstellungswelt zu objektivieren, um ihm prüfend gegenüberzutreten und ihn wie eine vormals schützende, nun aber wertlose Hülle zu verwerfen. Ähnliches geschieht ja auch in dem an gleicher Stelle, im *Merkur* vom Januar 1972, veröffentlichten Gedicht *Pe-Lo-Thien* in der erstmaligen Nennung der „Masken"[7], deren sich Huchel so oft bediente, die aber jetzt „geschunden" sind. Gottfried Benn hat dieses prüfende Sich-Selbst-Gegenübertreten als typisch für das „Altern als Problem für Künstler" gekennzeichnet.[8] — So gelingt auch die Einmündung in das ewige Geschehen — den „Wald" — nicht mehr, dieser wird vielmehr, im Bild des „Marders", zum bedrohlich Anderen, zum Feind:

> Dies ist dein Rastplatz,
> alter Mann,

---

[5] Nietzsche, Friedrich, *Werke in drei Bänden*. Hrsg. von Karl Schlechta, München 1960[2], 2. Band, S. 127.

[6] *Merkur* 26, op. cit. S. 13, jetzt in *Gezählte Tage*, S. 71.

[7] ibid. Das Wort „Maske" erscheint auch in *Die Gaukler sind fort,* hat aber dort eine andere Funktion.

[8] Gottfried Benn, op. cit. 1. Band, S. 552—582 passim.

ein Ahorngerippe.
[...]
Und keiner kommt,
die Rute geschultert,
und watet
im grauen Kiesbett des Stroms
die Schlucht hinauf.
Es blickt dich
der Wald mit den Augen
des Marders an.[9]

Insgesamt sind es vier Gedichte, die Huchel in jener Nummer des *Merkur* veröffentlichte: *Unter der blanken Hacke des Monds, In der Lachswasserbucht, Bei Wildenbruch* und *Pe-Lo-Thien;* sie besagen alle dasselbe: der Dichter nimmt, im Angesicht des Todes, um den sie kreisen, Abschied von seinem Werk. Sind es im ersten die „Mythen", die ihm entgleiten, im letzten die „Masken", die durchsichtig werden, so zerbricht im zweiten die zyklische Einheit mit der Erde, dem „Wald". Auch diese Vorstellung wird, in einem etwas späteren Gedicht, zum erstenmal direkt ausgesprochen: während die ewig sich erneuernde Schöpfung, die Spezies, den ‚Wald' weiterleben läßt, wird der einzelne Baum zum Zeichen des unterbrochenen Kreislaufs, zum Zeichen des Todes. In demselben Sinne hatte Huchel einmal das Überleben der Herde gefeiert: „Uralter Hirt, dein Volk zu hüten, / gingst du im Staub der Herde nach, [...] Umkreist vom Hund, beschirmt von *Widdern* / sah ich die Herde weidend ziehn" (*Wendische Heide,* vgl. die Interpretation auf S. 113—114). Von dieser Herde nimmt das einzelne Tier Abschied:

Abschied von den Hirten

Nun da du gehst
vergiß die felsenkühle Nacht,
vergiß die Hirten,
sie bogen dem W i d d e r den Hals zurück
und eine graubehaarte Hand
stieß ihm das Messer in die Kehle.

Im Nebelgewoge
schwimmt wieder das Licht
der ersten Schöpfung. Und unter der T a n n e
d e r   n i c h t   z u   E n d e

---

[9] *Merkur,* op. cit. S. 14.

g e s c h l a g e n e   K r e i s aus Nadeln und Nässe.
Dies ist dein Zeichen. Vergiß die Hirten.[10]

Unzweideutig weist Huchel auf sich selbst: wie er dem Verfasser in einem Gespräch mitteilte, ist ihm, dem an einem 3. April unter dem Sternbild des Widder Geborenen, der Widder das persönlichste Zeichen.

Den für den Dichter schwerwiegendsten Verlust behandelt das dritte im *Merkur* veröffentlichte Gedicht, *Bei Wildenbruch*. Der Name des kleinen märkischen Dorfes Wildenbruch, eine Wegstunde von dem Dorf seiner Kindheit, Alt-Langerwisch, entfernt, wird zum Zeichen des ‚wilden Bruchlands‘ der menschlichen Beziehungen, dem ‚steinigen Grund‘, der ‚sandigen Öde‘ der früheren Gedichte über die Sprache, die sich nun als unfähig erweist, die Kommunikation, die Huchel mit seinem Werk gesucht hatte, herzustellen. Zum letztenmal erscheint die „Distel“; Totenvögel tragen ihre Botschaft in die leere Transzendenz, in die „Finsternis des Himmels“:

Eine Distel,
deren Gedächtnis der Wind zerfasert.
[...]
Bald frißt der Nebel
aus der Krippe kahler Äste.
Das Geständnis des Jahrs, die Krähen
tragen es in die weiße Finsternis des Himmels.

Technisch gesehen heißt dies: Huchel abstrahiert nun, im Mittel der direkten Nennung, von seinem Werk; er macht in seinen letzten Gedichten jene Stationen explicit, die diese Arbeit untersuchte und bisher nur impliziert fand: „Distel“, „Maske“, „Finsternis des Himmels“, „Mythen“ und „Kreis“. Dadurch wird die Sprache dieser Gedichte nüchterner, lakonischer, in der den ganzen Komplex einbeziehenden Abstraktion summarisch. Eben darum geht es: Huchel zieht die Summe seines Werkes, und es ergibt sich für ihn, so will es scheinen, in jedem Falle das Nichts. Ist es aber allein Desillusion, die ihn so sprechen läßt? Die Literaturgeschichte kennt berühmte Fälle von Widerrufungen in letzter Stunde, so den Hölderlins, der, nach dem Versuch, Griechentum und Christentum zu versöhnen, zum letzteren zurückstrebte und auf dem Weg scheiterte. Müssen wir in Huchels Objektivierung der „Mythen“ und deren Zurückweisung sein „Könnt ich Magie von meinem Pfad entfernen“ sehen, so scheint er zu-

---

10 *Gezählte Tage*, S. 68. Hervorhebungen vom Autor.

nächst wie jener zu scheitern: Huchel bleibt, in der doppelten Bedeutung
des Wortes, in der Welt seines Mythos ‚verhaftet‘; die „Krippe“, in der
der Bringer neuen Lebens lag, ist weiterhin leer, ja, der Tod „frißt“ aus
ihr. So stellt sich nun, an der Grenze zu diesem Nichts und überwältigen-
der als zuvor, die mythische Gestalt ein, die Huchel gerade zu dessen Ver-
deckung am häufigsten beschworen hatte: die Erdmutter, die zwanzig
Jahre zuvor zum letztenmal von ihm bei ihrem eigentlichen Namen genannt worden war. Aber war es damals die „uralte Mutter, die alles
gebar“, so ist sie, deren Leben-gebenden Aspekt er gerühmt hatte, deren
Todesaspekt er im Glauben an die Neugeburt überwunden sah, jetzt endgültig und ausschließlich die häßliche, verschlingende, schreckliche Mutter, die auf ihn zukommt. Ihre erneute Nennung nach langer Zeit wirkt
hier jedoch nicht objektivierend, sondern konkretisiert sie als Gorgo, als
Mond mit der Hacke. Zweimal stellt sich das Bild des Abgrunds ein:
„unwissend stürz ich hinab“ — und während der Lebensbaum, der Ölbaum Athenes, „oben“ „im schroffen Anstieg“ zurückbleibt, wächst ihm
unten, „am Rand der Teiche“, der Totenbaum, die Weide [11] entgegen:

---

[11] Wie das Wort „Lebensbaum“ gebraucht Huchel auch das Wort „Totenbaum“ einmal direkt in seinem Werk:
> Im Nebel nistet nun mein Traum.
> Ich pflanzte ein den Totenbaum.

(*November-Endlied*, nur veröffentlicht in *Das Innere Reich* 1, 1934/35, S. 816.)
Belege für die Weide als Totenbaum sind häufig; fast immer erscheint sie zu-
sammen mit dem auch in *Ölbaum und Weide* und *November-Endlied* genannten
Todesnebel:

> [...]
> gern trüge ich hinaus ein Feuer,
> zu wärmen, wenn die Wasser waschen,
> die armen Toten, armen Aschen.
> Dort draußen, wo die Nebel wittern,
> im Hof der Weiden, [...]
> > (*Totenregen, Die Sternenreuse*, S. 52)
> Den qualmigen Nebel der Flüsse
> saugen die ausgehöhlten Weiden ein
> wie längst verstorbener Feuer Rauch.
> > (*Der Rückzug*, op. cit. S. 86)

Neben der Weide ist besonders der Ahorn ein Totenbaum:
> Spindel am Hang,
> Dein Faden weht kalt.
> Aber ich trage glimmende Glut,
> Das Wort der Toten,
> Durchs Ahorndunkel der Schlucht.
> > (*Die Spindel*)

Ölbaum und Weide
Im schroffen Anstieg brüchiger Terrassen
dort oben der Ölbaum.
Am Mauerrand der Geist der Steine.
Noch immer die leichte Brandung
von grauem Silber in der Luft,
wenn der Wind die blasse Unterseite des Laubs nach oben kehrt.
Der Abend wirft sein Fangnetz ins Gezweig.
Die Urne aus Licht versinkt im Meer.
Es ankern Schatten in der Bucht.
Sie kommen wieder,
verschwimmend im Nebel,
durchtränkt vom Schilfdunst märkischer Wiesen,
die wendischen Weidenmütter,
die warzigen Alten mit klaffender Brust
am Rand der Teiche,
der dunkeläugig verschlossenen Wasser,
die Füße in die Erde grabend,
die mein Gedächtnis ist.[12]

Das Gedicht wurde 1971 in Italien geschrieben, wo Huchel nach seiner Ausreise aus der DDR zunächst lebte, und wurde von ihm zum Zeitpunkt der Veröffentlichung der anderen vier hier behandelten Gedichte, im Januar 1972, im Rundfunk gelesen. Daß ihn gerade in Italien, im Land des Lichtes, das für ihn das Zeichen der Zeugung zur Neugeburt war, die „wendischen Weidenmütter" einholen und sich in sein Gedächtnis ein-

---

Dies ist dein Rastplatz,
alter Mann,
ein Ahorngerippe.
[...]
im wäßrigen Nebel
der Lachswasserbucht.
     (*An der Lachswasserbucht*, in: *Gezählte Tage*, S. 14)
[...]
von welchen Doggen gerissen,
stürztest du in die kiesige Grube?

Die Augen bedeckt
vom dünnen Messing
gezackter Blätter des Ahorns,
ist dir der Fischer entrückt,
[...]
     (*Erscheinungen der Nymphe im Ahornschauer*, op. cit. S. 86)
[12] *Gezählte Tage*, S. 26.

graben, als wollten sie Besitz von ihm nehmen, zeigt doch wohl, daß die Hülle, die abzulegen er bemüht scheint, festgewachsen ist und er der mythisierten Erde, die ihn jetzt bedroht, nicht entkommen kann: sie ist identisch mit ihm, sie ist sein „Gedächtnis“. So sind auch die „Masken“ in *Pe-Lo-Thien* festgewachsen, sie sind nicht etwa zerschlissen, sondern „geschunden“ wie es nur Haut sein kann, durch die der wunde, ungeschützte Mensch sichtbar wird. Schöpfung und Schöpfer sind eins, die Privatmythologie ist zur Privatreligion geworden, die auf ihren Stifter zurückschlägt. Es ist wohl kaum zuviel gesagt, wenn noch einmal an Hölderlin erinnert wird, der im November 1802, am Beginn seines Wahnsinns, schrieb: „wie man Helden nachspricht, kann ich wohl sagen, daß mich Apollo geschlagen“ [13].

Es wird nun auch nicht überraschen, daß Huchel, angesichts der Bedrohung durch die Schreckliche Mutter, wie Hölderlin zu später Stunde doch noch den Versuch eines Brückenschlages zum Christentum unternimmt. Zunächst projiziert er seine eigene Stellung gegenüber der christlichen Religion auf eine persona und wählt als Parallele eine Gestalt, die sich, wie er selbst, zu ihrem Verderben mit „Hexen“ eingelassen hatte und nicht mehr fähig war zu beten — *Macbeth* [14]: „But wherefore could not I pronounce ’Amen‘? / I had most need of blessing“ (*Macbeth*, 2. Akt, 2. Szene). Fühlt Huchel, daß auch er nun dieses Segens bedarf? Im Gedicht versucht er, sich von den Hexen abzuwenden, er will ihre Sprache nicht mehr sprechen:

> Mit Hexen redete ich,
> in welcher Sprache,
> ich weiß es nicht mehr.

Doch damit ist es nicht getan, sie lassen sich nicht bannen:

> Aufgesprengt
> die Tore des Himmels,
> freigelassen der Geist,
> in Windwirbeln,
> das Gelichter der Heide.

Das ist die heidnische, die „wendische Heide“ Huchels — „Hexenheide“ nennt er sie schon in einem frühen Gedicht *(Der Knabenteich)* —,

---

[13] Brief an Casimir Ulrich Böhlendorf, wahrscheinlich geschrieben im November 1802. Hölderlin, op. cit. Band VI/1, Brief Nr. 240, S. 432.
[14] *Gezählte Tage*, S. 46. Die Zitate aus Shakespeares *Macbeth* zitiert nach: *The Arden Edition of the Works of William Shakespeare, Macbeth*, hrsg. v. Kenneth Muir, London 1963⁹.

aber auch die Heide in Shakespeares Stück. Nach Shakespeares Vorstellung richtet sich der unheilige, von den Hexen erzeugte Wind gegen die Kirche. Die Strophe weist auf die Worte, die Macbeth zu den Hexen spricht: „you untie the winds, and let them fight / Against the Churches" (4. Akt, 1. Szene). Gleichzeitig jedoch, durch eine geschickte Überblendungstechnik, unterstreicht Huchel in dieser Strophe seine Nähe zu Hölderlin und zu dessen Versuch einer Aussöhnung mit dem christlichen Gott: die Strophe ist nämlich, über die Shakespeare-Anspielungen hinaus, ein teilweise wörtliches Zitat aus Hölderlins spätem Fragment *Das Nächste Beste*, in dem es Hölderlin, wie die zweite Fassung und die Lesarten zeigen, um eine Verbindung der griechischen „Himmlischen" und dem ‚ewigen Vater' zu gehen scheint. Vergebens versuchen die Lesarten der dritten Fassung, „Gott" und den „heiligen Geist" in die Hymne einzufügen.[15] In der zweiten und dritten Fassung lauten die Anfangszeilen:

> offen die Fenster des Himmels
> Und freigelassen der Nachtgeist,
> Der himmelstürmende, der hat unser Land
> Beschwätzet, mit Sprachen viel, unbändigen, [...][16]

Es ist bezeichnend, daß Huchel den Hölderlin-Text von „Fenster des Himmels" in „Tore des Himmels" abwandelt. Zum einen entspricht dieser Wortlaut seiner Tor-Symbolik und ihren Assoziationen zur Erdmutter, zu Nacht und Tod, zum anderen gelingt ihm so die Verschmelzung mit dem Shakespeare-Text, der diese Assoziationen verstärkt. In der berühmten Pförtner-Szene öffnet sich nach dem Mord an Duncan für Macbeth das Tor zur Hölle:

> *Porter* Here's a knocking, indeed! If a man were Porter of Hell Gate, he
> should have old turning the key. (knocking) Knock, knock, knock!
> Who's there, i'th' name of Belzebub? (2. Akt, 3. Szene)

Hölderlins Himmel erscheint so bei Huchel als Hölle, als der leere, finstere Himmel, den er angeklagt hatte. Und während sich Hölderlins Fragment, soweit sich dies erkennen läßt, auf die Rückkehr der „Himmlischen" und auf die „Wahrheit" des ewigen Vaters hin zubewegt, lauert in Huchels Gedicht ein Tod, der keine Erlösung bringt:

> Am Meer
> die schmutzigen Zehen des Schnees.
> Hier wartet einer

---

15 Hölderlin, op. cit. Band II, 2, S. 869.
16 Band II/1, S. 237.

mit Händen ohne Haut.
Ich wollt, meine Mutter
hätt mich erstickt.

Aus den Ställen des Winds
wird er kommen,
wo die alten Frauen
das Futter häckseln.

Diese beiden Strophen weisen auf die erste Szene des vierten Aktes, in der die Hexen um den Kochkessel, „at the pit of Acheron", versammelt sind, an dem auch Hekate erscheint. Was sie hier „häckseln" sind die Zutaten für ihre Zauberbrühe, in die auch der Finger eines bei der Geburt von der Mutter erstickten Kindes — „Finger of birth-strangled babe" — gehört. Mit Hilfe dieser Brühe machen die drei Geister, die Macbeth erscheinen, ihre unheilvollen, tod-bringenden Prophezeiungen. Endlich schließt das Häckseln des Futters auch die Vorstellung ein, daß der einzelne in seinem Tod zum ‚Futter' für das neue Leben wird: es ist die ‚blanke H a c k e des Monds', die dieses Futter h ä c k s e l t.

Hölderlins Fragment endet in der zweiten Fassung mit der Hoffnung auf die göttliche Wahrheit: „Wahrheit schenkt aber dazu / den Atmenden der ewige Vater." Huchels Gedicht schließt mit der Anspielung auf die letzten Worte Macbeths, bevor dieser von Macduff getötet wird, Worte in denen es ebenfalls um die Findung einer Wahrheit geht: Macbeth wird sich plötzlich bewußt, daß er den Hexen nicht hätte trauen dürfen — „be these juggling fiends no more believed". Er weiß nun, daß ihr Zauber ihn nicht schützt. Dennoch versucht er, sich gegen Macduff zu verteidigen: „before my body / I throw my warlike shield" (Akt V, Szene 8). Bei Huchel ist der „Argwohn" zur Gewißheit geworden, er nimmt ihn, den nicht mehr schützenden „Helm", ab und stellt sich der Nacht, die ihn wie ein Gebäude umschließt:

Argwohn mein Helm,
ich häng ihn
ins Gebälk der Nacht.

Die Erhellung der eigenen Position am Beispiel Macbeths läßt aber noch nicht erkennen, auf welchen Wegen Huchel eine Synthese seiner privat-mythologischen Vorstellungen mit dem Glauben an den christlichen Gott möglich wäre. Eine Antwort auf diese Frage gibt das ebenfalls in *Gezählte Tage* veröffentlichte Jakob-Böhme-Gedicht *Alt-Seidenberg.* Das Gedicht — der Titel nennt den Geburtsort Böhmes — wurde in der Einleitung zu dieser Arbeit schon erwähnt, und es wurde darauf

hingewiesen, daß Böhmes Lehre von der ‚Signatura Rerum' Huchel den
Anstoß gegeben zu haben scheint, seinerseits eine Zeichensprache zu entwickeln. Während aber bei Böhme die Zeichensprache der Naturgegen-
stände immer hinwies auf Gott, unterschied Huchel eine Gruppe von
Zeichen, die gerade für die Abwesenheit Gottes standen, von einer anderen Gruppe, die auf die von ihm an die Stelle Gottes gesetzte Erdmutter deuteten. Es ist eine Umkehr von Böhmes mystischem Erlebnis der
All-Einheit mit Gott in eine Anti-Mystik bei Huchel, um nicht zu sagen
in eine Mystik im Zeichen des Antichrist. Was Huchel bisher nicht über-
nommen hatte, und, im Rahmen seiner eigenen Vorstellungen, auch nicht
übernehmen konnte, ist Böhmes Lehre vom Wesen Gottes, wie dieser sie
zuerst in der *Aurora oder Morgenröte im Aufgang* skizzierte, um sie dann,
in *De Tribus Principiis oder Beschreibung der Drey Principien Göttlichen
Wesens* zu einem System auszubauen. Wo sich einmal, wie in dem frühen
Gedicht *Wendische Heide*, Bilder aus der Böhme-Biographie Franckenbergs nachweisen lassen, ist eine Verbindung zur Böhmischen Philosophie
nicht mit Sicherheit herzustellen. Es scheint Huchel dort vor allem um die
Bildersprache gegangen zu sein, die er aus Franckenberg seinen eigenen
Vorstellungen adaptierte.

Ganz anders *Alt-Seidenberg.* Zitiert sei zunächst noch einmal der Wortlaut der entsprechenden Stelle aus Franckenbergs *De Vita et Scriptis
Jacob Böhmes:*

> § 4: Bei welchem seinem Hirtenstande ihm begegnet, dass er einstmals um die
> Mittagsstunde sich von andern Knaben abgesondert und auf den davon nicht
> weit abgelegenen Berg, die Landeskrone genannt, allein für sich selbst ge-
> stiegen, und allda zuoberst (welchen Ort er mir selber gezeiget und erzählet),
> wo es mit grossen roten Steinen verwachsen und beschlossen, einen offenen
> Eingang gefunden, in welchen er aus Einfalt gegangen und darinnen eine
> grosse Bütte mit Geld angetroffen, worüber ihm ein Grausen angekommen,
> darum er auch nichts davon genommen, sondern also ledig und eilfertig
> wieder herausgegangen sei. Ob er auch wohl nachmals mit andern Hirten-
> jungen zum öftern wieder hinaufgestiegen, hat er doch solchen Eingang nie
> mehr offen gesehen. [...] Es ist aber selbiger Schatz nach etlichen Jahren,
> wie er berichtet, von einem fremden Künstler gehoben und hinweggeführt
> worden, worüber solcher Schatzgräber (weil der Fluch dabei gewesen) eines
> schändlichen Todes verdorben.
> § 5: Und darf man sich über solchen Eingang Böhmes in den hohlen Berg
> nicht gross verwundern: sintemal (wie in des Heinrich Kornmanns Büchlein,
> der Venusberg genannt, [...] enthalten) dergleichen Wunderörter hin und
> wieder angetroffen werden [...].[17]

---

[17] Zitiert nach Koyré, op. cit. S. 14.

Das Gedicht gibt den Verlauf der von Franckenberg geschilderten Erlebnisse bis ins Detail wieder:

Alt-Seidenberg

Vieh hütend
zu Füßen der großen Späherin,
der Landschaft mit Krähe und Pappel,
sah er über der Stadt
die glasige Kugel des Äthers,
er hörte Stimmen in den Lüften,
Posaunenstöße, hell und schneidend,
Geräusche hinter den Uferweiden,
das Waschen und Scheren der Schafe.

Am Mittag
fand er im Hügel eine Höhle
von Wurzeln starrend,
im Winkelmaß der Schatten
stak eine Bütte Gold.
Er wich zurück und schlug
das spukabwehrende Zeichen,
Reiter
auf Pferden mit fleischigen Mähnen
ritten an Gruben
voll Haar und Blut vorbei.

Anderen Tages
war es wie immer,
verschlossen die Erde,
mit Feldspat versiegelt.
Nur eine Hummel summte dort,
vom Wind ins dürre Gras gedrückt.
Das Feuer,
das in der Einöde brannte,
stieg in die Höhe,
das Wasser strömte der Tiefe zu.
Die Spuren der Herde führten zur Tränke.
Der Hügel trug den Himmel
auf steinigem Nacken.[18]

Mit den anderen hier behandelten späten Gedichten hat *Alt-Seidenberg* die Geste der Abwehr gemein: „Er wich zurück und schlug / das spukabwehrende Zeichen." Franckenberg impliziert, daß es sich bei dem „Hü-

---

[18] *Gezählte Tage*, S. 53—54.

gel" um einen „Venusberg" handeln kann. Ihm entspricht, innerhalb des Huchelschen Systems, die Gestalt gewordene Erdmutter, der „Hügel" oder „Hang". In der zweiten Strophe wird der Untergang, in den sie lockt, in der Vision der apokalyptischen „Reiter" zur gespenstischen Ahnung. Dieser Untergang hatte „den fremden Künstler", von dem Frankkenberg spricht, getroffen: er verdarb „eines schändlichen Todes". Könnte Huchel seine eigene Situation in der des fremden Künstlers gespiegelt sehen? Böhme widersteht der Versuchung; wie ein Triptychon wird diese Mittelstrophe mit ihrer Versuchung umrahmt von den Seitenflügeln mit ihren Bildern des neuen Lebens: in der ersten Strophe die Wiedergeburt nach dem Tod und in der letzten die Zeugung. Am Anfang ist es die „Landschaft", eingespannt zwischen Tod und Neugeburt, zwischen „Krähe und Pappel", die der stygische Fluß durchfließt: die „Pappel" des Herakles steht neben dem Totenbaum, den „Uferweiden", und hinter ihnen dringen die „Geräusche" der Toten über den Fluß.

Nun weisen aber „Krähe und Pappel" nicht mehr wie bisher bei Huchel auf den Tod als unwiderrufliches Ende und auf die Zeugung neuen, aber anderen Lebens, sondern auf den Tod im christlichen Sinne als Durchgang zu einer Auferstehung. Denn Böhme hört die „Posaunenstöße" des Jüngsten Gerichts, und die Landschaft ist gotterfüllt: sie ist überwölbt durch „die glasige Kugel des Äthers", das ist aber, in Böhmes Sprache, Gott: „Wenn man aber den Vater mit etwas vergleichen will, so muß man ihn der runden Kugel des Himmels vergleichen [19]." Die Gegenwart Gottes hindert den Spuk daran, seine verführende Macht auszuüben. Wir erinnern uns, es war die Gottesferne, die Huchel der Lockung der Erdmutter folgen ließ! — Hier kehrt, nach Abwehr des Spuks, der Frieden im Schutze Gottes zurück: „Anderen Tages / war es wie immer" und die göttliche Schöpfung hebt wieder an.

In den letzten Zeilen nämlich gelingt es Huchel, seine eigenen heidnisch-privatmythologischen Vorstellungen in die christlich-pantheistische Gedankenwelt Böhmes zu überführen und sie auf diese Weise in dem höheren Prinzip Gottes aufgehen zu lassen. Zunächst muten die Zeilen: „Die Spuren der Herde führten zur Tränke. / Der Hügel trug den Himmel / auf steinigem Nacken" an wie eine erneute Schilderung der Fortzeugung im Zeichen der „Herde", der Vereinigung der Erdmuttergestalt mit dem männlichen Prinzip, ähnlich dem frühen Gedicht *Zunehmender Mond*, wo es hieß: „Und die Brücke wird zum Hügel / und die Sichel

---

[19] Jacob Böhme, *Sämtliche Schriften*, hrsg. v. Will-Erich Peuckert, Stuttgart 1955—1960, Band I, *Aurora, oder Morgenröte im Aufgang*, S. 40.

schimmert breit [...] Erd' und Himmel will sich mischen." Ein Blick auf Böhme aber zeigt, daß die unmittelbar vorausgehenden Zeilen — „Das Feuer, / das in der Einöde brannte, / stieg in die Höhe, / das Wasser strömte der Tiefe zu." — die Selbstoffenbarung Gottes meinen, die Böhme in der Scheidung von Feuer und Wasser, die jedoch beide Teile Gottes bleiben, begreift:

> Weil aber die angezündete Kraft [...] in der Finsterniß feurend gewesen, so hat GOtt das Fiat daher gestellet, und hat durch den wallenden Geist, welcher in des Lichtes Kraft ausgehet, die feurende Quell auf cörperliche Art geschaffen, und von der Matrice entschieden; und hat der Geist die feurige geschaffene Art Sternen geheissen wegen ihrer Qualität.
>
> Also ist vor Augen, wie der feurige gestirnte Himmel [...] ist entschieden von der wässerigen Matrice [...]. So sich aber das ewige Wesen, als GOtt, hat wollen offenbaren in der finsteren Matrice, und aus dem Nichts Etwas machen; so hat Er die angezündete Kraft entschieden, und die Matricem helle oder rein gemacht.[20]

Nach Böhme ist die Trennung des männlichen Feuers vom weiblichen Wasser — das Auseinanderströmen beider in Huchels Gedicht — jedoch gleichzeitig Bedingung ihres Wieder-Zueinanderstrebens, ihrer Sehnsucht nach der liebenden Vereinigung, aus der die permanente Schöpfung hervorgeht:

> Also stehet nun die Matrix unbegreiflich, und sehnet sich nach der feurigen Art, und die feurige Art sehnet sich nach der Matrix: denn der Geist GOttes [...] spiegulieret sich in der wässerigen Matrice, und die Matrix empfähet Kraft von ihm. Also ist ein steter Wille zu gebären und zu wircken; und stehet die gantze Natur in grossem Sehnen und Aengsten, immer willens zu gebären die Göttliche Kraft, [...]
>
> Also herrschet der gestirnte Himmel in allen Creaturen, als in seinem Eigenthum: er ist der Mann, und die Matrix oder wässerige Gestalt ist sein Weib, welches er immer schwängert: und die Matrix ist die Gebärerin, die gebieret das Kind, das der Himmel machet.[21]

Dieses letzte Zitat läßt schon erkennen, daß Huchel nicht nur seine Vorstellungen von Zeugung und Neugeburt aus der heidnischen Sphäre der Erdmutter, in der er sie angesiedelt hatte, durch Böhme als Brücke, in die christlichen Konzepte von Schöpfung und Auferstehung überfüh-

---

[20] Böhme, op. cit. 2. Band, *De Tribus Principiis, oder Beschreibung der Drey Principien Göttlichen Wesens*, S. 70.
[21] ibid., S. 71.

ren kann, sondern daß er darüber hinaus sogar die Erdmutter selbst bei
Böhme wiederfindet. Böhme spricht an den zitierten Stellen von der
Matrix, aber auch das Wort „Mutter" gebraucht er:

> Nun hat aber GOtt das Feuer als die Quintam Essentiam oder fünfte Gestalt
> vom Wasser entschieden, und daraus Sternen gemacht, und das Paradeis ist
> in der Matrice verborgen: so begehret nun die Wassers-Mutter mit grossem
> Ernst die Feuers-Mutter, und suchet das Kind der Liebe; und die Feuers-
> Mutter suchts in der Wassers-Mutter, als da es geboren wird; und ist je ein
> heftiger Hunger zwischen ihnen eines nach dem andern, sich zu vermischen.[22]

Diesen beiden ‚Müttern', deren Auseinanderströmen und Wiederzu-
sammenkommen im Schöpfungsakt Thema der letzten Strophe von Huchels Gedicht war, entspricht an anderer Stelle die ‚ewige Mutter' Böhmes,
die sie beide enthält:

> Und sehen weiter an die Elementa: Feur, Luft und Wasser, wie sich die
> immer gebären, eines im andern, und dann wie das Gestirne in diesem, als
> in seinem Eigenthum herrschet, und sehen an die Mutter, davon dieses Wesen
> alles ausgehet; so kommen wir auf die Scheidung und auf die ewige Mutter
> der Gebärerin aller Dinge.

Für Böhme, wie für Huchel, ist „diese Welt" aus dem Schoß der ewigen
Mutter geboren:

> [...] also auch ist diese Welt aus der ewigen Mutter erboren, welche nun
> auch eine solche Gebärerin ist, und von der ewigen Mutter nicht
> abgetrant, sondern ist auf eine materialische Art worden.[23]

Die ‚ewige Mutter' jedoch geht aus dem Willen Gottes hervor; sie ist
dann zwar eine selbständige, von Gott abgetrennte, ihm aber nachgeord-
nete Macht und nicht die Göttlichkeit selbst, „wie die Heiden gedichtet":

> Sintemal diese Geburt einen Anfang hat durch den Willen GOttes, und
> wieder in sein Aether gehet, so hat sie nicht die Kraft der Weisheit; sondern
> sie bauet nach ihrer Art immer hin, was sie trifft, das trifft sie, böse, krumm,
> lahm oder gut, schön oder mächtig, macht Leben und tödtet, gibt Macht und
> Stärcke, zerbricht die auch wieder, und alles ohne vorbedachte Weisheit:
> daran zu sehen, daß sie nicht die Göttliche Vorsichtigkeit und Weisheit selber
> sey wie die Heiden gedichtet, und sich in ihrer Macht vergaffet haben.[24]

Wir sehen: Der christliche Mystiker Böhme integriert in sein System die
aus den frühen heidnischen Mythologien überlieferte Erdmutter! Auch ist

---

[22] ibid., S. 85.
[23] ibid., S. 57, Hervorhebung vom Autor.
[24] loc. cit.

sie bei ihm, wie Huchels Gestalt, eine Leben-Gebende und Leben-Neh-
mende — „sie macht Leben und tödtet“ — und sie schließt als „Wassers-
Mutter“ das tellurische Element ein, das in Huchels Zeichensprache einen
so breiten Raum eingenommen hatte. Bei Böhme „ward das Männlein
nach dem Limbo oder Feuers-Gestalt qualificiret und das Weiblein nach
dem Aquaster oder wässerigen Gestalt“ [25] Das heißt: das phallisch-zeu-
gende Prinzip, das Huchels Erdmutter ergänzte und sich im (Sonnen-)
Feuer und im Frühlicht manifestierte, findet ebenfalls seine Entsprechung
im Böhmeschen Schöpfungsentwurf und zwar in der männlichen „Feuers-
Gestalt“. Was liegt aber für Huchel, der sich „wie die Heiden“ in die
Macht der Erdmutter „vergaffet“ hatte, bei dem Versuch einer Synthese
seiner Vorstellungswelt mit dem Christentum, näher als der Nachvollzug
von Böhmes Gedankengang, der die ewige Mutter als Ausfluß Gottes
sieht, so daß sie wieder „in sein Aether gehet“:

> Vieh hütend
> zu Füßen der großen Späherin,
> der Landschaft mit Krähe und Pappel,
> sah er über der Stadt
> die glasige Kugel des Äthers,

Huchel spricht im Gedicht von „Lüften“, „Feuer“ und „Wasser“. Dies
sind von den vier Elementen diejenigen drei, die nach Böhme die göttliche Materie ausmachen. Und zwar sind sie nichts als verschiedene Aggre-
gatzustände der einen und selben Materie, deren Teile sie auch nach der
Trennung voneinander bleiben. Die Bewegung aber, die die Trennung
bewirkt, die Kraft, die die göttliche Materie bald als Luft, bald als Wasser, bald als Feuer erscheinen läßt — diese Bewegung ist der heilige Geist:

> Nun mercke: Die 3 Elementa, Feuer, Luft und Wasser, die haben dreyerley
> Bewegung oder Qualificirung, aber nur ein Corpus. Siehe, das Feuer oder
> Hitze empöret (gebäret) sich aus der Sonne und Sternen, und aus der Hitze
> empöret (gebäret) sich die Luft, und aus der Luft das Wasser. Und in dieser
> Bewegung oder Qualificirung stehet aller Creaturen Leben und Geist, auch
> alles, was in dieser Welt genant mag werden, und das bedeutet den H.
> Geist.[26]

> Das Feuer,
> das in der Einöde brannte,
> stieg in die Höhe,
> das Wasser strömte der Tiefe zu.

---

[25] ibid., S. 85.
[26] *Aurora*, S. 45.

„Die große Späherin", die Landeskrone bei Görlitz, der „Hügel", der den Himmel „auf steinigem Nacken" trägt, Venusberg und göttliche Matrix: in dieser Doppelbedeutung erscheinen auch Huchels andere Zeichen, Krähe, Pappel, Fluß und Weide. Sie stehen noch innerhalb von Huchels privatem System, beziehen aber auch die göttliche Heilsordnung mit ein: Gott Vater und Heiliger Geist, die Hölderlin nicht hatte integrieren können, hier sind sie präsent und durchleben die Landschaft. Eine betont anti-christliche, betont heidnische Glaubenswelt ist aufgegangen in der christlichen Mystik Böhmes! Es ist dabei nur von untergeordneter Bedeutung, künstlerisch gesprochen, ob dieses Aufgehen im Christentum für Huchel schon eine Realität ist oder noch angedeutete Möglichkeit bleibt; für das Letztere spricht die Tatsache, daß *Alt-Seidenberg* als einziges Personen-Gedicht nicht in der ersten oder zweiten, sondern in der distanzierenden dritten Person geschrieben wurde und daß sich, in seinen jüngst veröffentlichten Gedichten, die nun ebenfalls zum erstenmal direkt genannte „Todesangst — wie stechendes Salz ins Fleisch gelegt" [27] weiter verstärkt. Die Todesgöttin mit den höllischen Hunden ist nicht gebannt; sie folgt dem Fliehenden „von Lager zu Lager", der tellurische Untergrung der „Teiche" droht ihn zu verschlingen. Je näher sie kommt, um so deutlicher wird die schreckliche Mutter, die nun zum erstenmal als „Göttin" konkretisierte:

> Ferne Tochter
> der asiatischen Göttin,
> die Feuersteinsichel
> hast du verloren
> am Rand der höllischen Teiche.
> Du hörst das Gebell in der Nacht,
> das der Radspur folgt von Lager zu Lager. [28]

Aber wenn das Glück der Synthese nach *Alt-Seidenberg* auch wieder zerbricht, so hat Huchel doch in diesem Gedicht, inhaltlich und künstlerisch, den Höhepunkt erreicht, auf den seine privatmythologische Dichtung zustrebte. Die extreme Dichte des Einzelwortes, das aus dessen Stellung innerhalb der hier erschlossenen Bezugsfelder resultiert, hat es Huchel ermöglicht, sein Gedankensystem mit dem Mittel einer scheinbar exakt beobachteten Ortsbeschreibung, die in Wirklichkeit auf das unauffällig integrierte Zitat hin angelegt ist, in drei knappen Strophen zusammenzufassen und in das Böhmesche System hineinzuprojizieren. Hier erweist

---

27 *Begegnung*, in: *Die Neue Rundschau 85*, S. 421—422.
28 *Unterwegs*, in: *Jahresring 74—75*, Stuttgart 1974, S. 11—12.

sich am überzeugendsten die Tragfähigkeit seiner Zeichen- und Zitat-
sprache, die, ganz ohne angestrengt zu wirken, noch einmal eine neue
Bedeutung aufnehmen kann. Die elementaren Worte des poetischen Voka-
bulars: Krähe, Pappel, Hügel, Feuer, Wasser, sind hier nicht abgenutzt.
Subtile Verweise und Assoziationen laden sie bis zum Äußersten mit Sinn.
Diese fugenlose Verschmelzung von Anschauung, Verweis und Zitat ist
es, die die Meisterschaft der Huchelschen Sprache ausmacht. Ihre Technik
macht nicht auf sich aufmerksam, im Gegensatz zu den oft schon im
Schriftbild erkennbaren Brüchen und Härten der Lyrik Celans etwa. Deswegen ist sie bisher auch kaum erkannt worden, obwohl sie das durch-
gehende, von Anfang an ausgeprägte Merkmal dieser Sprache ist.

Der „Steinschlag roher Worte“ hatte Huchel dann gezwungen, das
Wasser, das den Durst der Sprache löscht, zu suchen, „wo Steine und
Wurzeln die Tür verriegeln“ (Gehölz). Aber was vielleicht einmal durch
den äußeren Anlaß beschleunigt wurde, ist längst zu einem Problem der
Sprache allgemein geworden, die besudelt ist: der Dichter steigt durch ein
„Loch im Asphalt“ in den Schlamm der Abwässer, um auf ihrem Grund
„eine schillernde Muschel“ zu finden, die „noch lange glomm“ — so heißt
es in Der Schlammfang.[29] Das ist das hermetisierte, unbeschmutzte, weil
schwer zugängliche Gedicht, das aber noch vor jeder Entschlüsselung jenes
Andere, über die Anschauung hinausgehende als Ahnung mitschwingen
läßt. In diesem Mitschwingen, dem ,Schillern‘ der verschiedenen „Schichten“, von denen Huchel in der zu Anfang genannten Selbstinterpretation
gesprochen hatte, liegt die Faszination seines Gedichtes.

Wollte man einige der schillerndsten Muscheln Huchels aufzählen, so
müßte man Ankunft, Haus bei Olmitello und besonders Alt-Seidenberg
nennen. Das Element des Zeitgeschichtlichen, das Huchel besonders in
manchen zweitrangigen Gedichten noch manchmal in den Vordergrund
schob, ist bei dem Großteil der späten Gedichte ganz in den Hintergrund
getreten, oder aber, wie bei Ankunft, auf die Ebene des Existentiellen
gehoben. Auch die vitalistische Freude an der Welt, die in manchen frühen
Gedichten naiv wirkt, ist vergangen. Was bleibt, ist die Frage nach der
Stellung des Menschen vor dem Tod und die Aufforderung an den Leser,
immer wieder in ein dichtgefügtes Kunstgebäude einzudringen, das für
Huchel den Charakter einer privaten Religion annahm, aus der sich seine
Sprache überhaupt erst erklärt.

So soll zum Abschluß auf Huchel angewendet werden, was schon einmal zitiert wurde, nämlich Walther Killys Bewertung des so ähnlichen

---

[29] Gezählte Tage, S. 43.

Mythensystems Hölderlins, dessen Problematik und Gefährlichkeit Huchel bewußt nacherlebte:

> An die Stelle der überlieferten, gerade durch ihre Unverbindlichkeit objektivierenden mythologischen Weltdeutung, deren Figurationen vorgegeben und gemeinsamer Besitz des ganzen Kulturkreisse sind, tritt die Glauben erheischende, die ganze Existenz deutende und beanspruchende Privatmythologie. Sie fordert, daß man in ihr System eintrete, das sich immanent erläutert, sie fordert Glauben an die religiöse Funktion der Poesie.

Diese Arbeit hatte es sich zur Aufgabe gesetzt, jenes Mythensystem bei Huchel zum ersten Male sichtbar zu machen. Wir hoffen, daß es ihr gelungen ist, Material für eine intensivere Beschäftigung mit Huchel anzubieten, damit die Unsicherheit bei der Bewertung und Einordnung seines Werkes, die sich jüngst noch einmal in den Rezensionen zu *Gezählte Tage* manifestiert hat, wo man schreiben konnte, Huchel sei „kein intellektueller Lyriker" [30], er antworte nicht auf den „Transzendenzverfall" [31], präziseren Kriterien weicht.

---

[30] Rudolf Hartung, Geh fort, bevor im Ahornblatt. Peter Huchels neuer Gedichtband „Gezählte Tage". Rezension in: *Frankfurter Allgemeine Zeitung*, 14. 10. 1972.

[31] Hans-Jürgen Heise, Der Fall Peter Huchel. In: *Die Welt*, 28. 10. 1972.

Anhang

Das Gesetz

Aber noch dreht sich,
Sterne und Steine schleudernd,
das alte Schöpfrad der Nacht,
fließende Feuer,
Wasser, Metalle
aus der verdünnten
Finsternis hebend,
wirbelnde Nebel
aus dem gekrümmten
fliehenden Raum.

Schöpfrad der Nacht,
hebst du nicht Feuer
aus unseren Herzen,
all die Wasser
verborgener Brunnen,
felsenumklammerte
Quellen des Lichts?

Brunnen,
grimmig gemauert
und von stürzenden
Stimmen durchhallt!
Immer wieder gebohrt
ins sandige Nichts:
wer
mißt eure strömende Tiefe
und die Wasser,
die sich dort sammeln?

Quellen, Quellen,
rauschende Wurzeln
im Felsen der Nacht!
Welche junge pulsende Ader
schlägt einen Spalt
ins harte Gestein?

Da der Einzelne
tastet am Abgrund hin,

im nackten Geröll
noch Wasser zu finden,
verschwemmte Spuren
einsamen Golds,
und hadernd geht
das Vergangene um
auf modernen Füßen —
o des Volks vergessenes Leben!
Hielt es nicht immer bereit
die Schlüssel zum Tor der Tiefe?

In seinem Gedächtnis
ein helles Wort,
wie Feuer und Anfang,
von einem Geschlecht
gebracht auf das andre,
wußte von euch,
verborgene Brunnen.
Doch das durstige Schicksal
fand euch verschüttet.

Erwürgte Abendröte
stürzender Zeit!
Chausseen. Chausseen.
Kreuzwege der Flucht.
Wagenspuren über den Acker,
der mit den Augen
erschlagener Pferde
den brennenden Himmel sah.

Nächte mit Lungen voll Rauch,
mit hartem Atem der Fliehenden,
wenn Schüsse
auf die Dämmerung schlugen.
Aus zerbrochenem Tor
trat lautlos Asche und Wind,
ein Feuer,
das mürrisch das Dunkel kaute.

Tote,
über die Gleise geschleudert,
den erstickten Schrei
wie einen Stein am Gaumen.
Ein schwarzes
summendes Tuch aus Fliegen
schloß ihre Wunden —

während in heller Sonne
das Dröhnen des Todes weiterzog.

Nicht mehr hörend
den fremden Hufschlag
auf fremder Straße,
aber im Ohr Geläut der Herde,
den alten Hirtengang
des schlafenden Dorfs,
der näher kam durch Disteln und Tau —
was wohl wußte, von Stimmen verlassen
und hockend am kalten Meilenstein,
die Greisin vom wahren Tag?

Auf den Knieen
die Truhe der Nacht,
in der sie Wiesen und Flüsse
der Heimat schleppte,
hielt sie umklammert
den letzten Besitz,
das weiße Garn,
mit dem sie immer noch nähte.

Wie wochenlanger Regen
hing die Trauer in ihren Kleidern.
Und das Garn entfiel der Hand
und wehte zerrissen über die Felder.

Herbstprunk der Pappeln
in öden Dörfern
mit aufgesperrten Scheunentoren,
knarrend im Wind nach Erntekorn.

Dörfer
hinter der Mauer
aus Hundegeheul;
das Gold verborgen
im rostigen Eisentopf;
die Riegel eingekeilt,
wenn eine hungerzerrüttete Hand
pochte am Torweg.

Und spät das letzte Gehöft.
Zerschossen trieb die Kettenfähre
den Fluß hinab.

Hier sah ich das Kind
wie in den kältesten Winkel
des Alls gebettet; gestoßen
aus der Höhle des Bluts
ans harte Licht zersplitterter Fenster —
aber das Kind,
in nasse Flicken des Nebels gehüllt,
nahe war es dem Tag!
Draußen das Wasserloch
ein Klumpen Eis.
Und Männer rissen mit Bajonetten
Stücke Fleisch
aus schneeverkrustetem Vieh,
schleudernd den Abfall
gegen die graubemörtelte
Mauer des Friedhofs.

Das Kind sah nicht
die gräberhohle Erde.
Und nicht den Mond,
der eine Garbe weißen Strohs
auf Eis und Steine warf.

Es kam die Nacht
im krähentreibenden Nebel.
Hart ans Gehöft
auf Krücken kahler Pappeln
kam die Nacht —
mit Wasser in den Knien,
mit grauem Hungergesicht
kauend das kleiige Brot.

Aber das Kind war nahe dem Tag.

O bittere Stunde vor Tag,
stickig über den Löchern des Tods —
doch unter der hallenden Öde
des Lands zog näher das Heer,
das Mauern aus kaltem Dunkel sprengte,
räumend hinweg die Sperren des Elends.
Es brachen die morschen Bretter der Lüge,
über den Sumpf der Fäulnis gelegt.
Die Mörder flohen. Aushandelnd
das Schicksal des Volks
wie Schlächter das Vieh,

rissen sie um den Grund der Worte
und ließen das Grauen zurück.

O Morgenröte,
noch immer wehte über dein Auge
der Schatten der Nacht,
wie fahle Distelwolle
im Sinken des Todes treibend.
Wenige sahen dein Licht
in diesen heißen Tagen des Mai,
da aasiger Hauch aus Flieder wehte
und neben den Bündeln des Hungers
das Volk an der Straße lag.
Aber sie fanden im Acker,
der ausgehagert und knochig war
und wie von Blitzen verdorrt,
hartglänzende Saat.

Und sie rissen die Hungernden mit.

O Gesetz,
mit dem Pflug in den Acker geschrieben,
mit dem Beil in die Bäume gekerbt!
Gesetz, das das Siegel der Herren zerbrochen,
zerrissen ihr Testament!

O erste Stunde des ersten Tags,
der die Tore der Finsternis sprengt!
O Licht, das den Halm aus der Wurzel treibt!
O Feuer ohne Rauch!
Zwischen Acker und Stern,
o Volk, die ganze Tiefe ist dein!
Dein ist mit schwarzen Kiemen die Erde,
wenn sie in rauher Furche liegt,
tief gelockert und atmend im Schnee.
Nicht Maul mehr,
Fleisch von den Knochen zu zerren,
nicht länger auf Wucher ausgeliehen,
nicht Distelbrache,
nicht Hungeracker der Armen.

So leg den neuen Grund!
Volk der Chausseen,
zertrümmerter Trecks!
Reiß um den Grenzstein des Guts!

Das Gesetz

Deine Pfähle schlag ein,
ackersuchendes Volk!
Geh auf die Tenne, die deine Väter
als Knechte mit Tierblut gehärtet.
Fege zusammen das magere Korn,
beize es für die Saat!

Treibe das Vieh durchs Koppeltor.
Altmelkende Kühe mit rissigem Euter,
Stiere mit wunden
knochigen Flanken,
sie fressen sich satt.
Kannen und Eimer warten auf Milch.

In den Maschinenhof geh.
Hier, wo die Nässe
aus kahler Krippe
sparriger Äste fraß,
im Vorwerk, von Ratten und Rost behaust,
wartet der Amboß auf dich,
die erste Hacke zu schmieden
aus stumpfer Mähmesserklinge!

Der Dampfpflug wartet auf Öl.
Und alles Gerät, Walze und Ackerschleife,
hungert nach Erde!
Bereite dich vor:
nähe das brüchige Brustblattgeschirr,
nimm von der Wand
Streubrille und Tuch,
um vor dem letzten Eggenstrich
Kalk auf die Krume zu streuen.

Erschöpftes Volk,
beweg den erschöpften Acker!
Wenn auch das Zugseil
die Schulter zerschneidet —
wecke sie auf, die aschige Erde,
mit schälendem Pflug,
ehe das Jahr
sein windiges Scheunentor schließt
und der Nebel sich staut an den Sternen.

Nicht mehr ein Sommer
schwarz im Halm
und dürr und räudig wie ein Hund,

der an der Kette blieb, als alles floh —
das Licht liegt auf den Schultern
der Pflügenden,
es flirrt im harten Sensenblatt
und tüncht die graue Mauer des Dorfs,
die noch den Ruß der Brände trägt
und pockennarbig die Spur der Schüsse.

Es bröckelt aber das Alte. Stählern
schneidet die Sichel die Nessel fort.
Dreschtrommeln schütteln das Korn.
Es stürzt die Garbe auf die Tenne
mit raschelndem Gewicht.
Im Winkel der Scheune, wo mittags
die Sparren flimmern
und spinnenbeinig das Dunkel hockt,
liegt das gepreßte Stroh
hoch aufgeschichtet
wie Barren Goldes.
Der Iltis jagt,
wo Mäuse nagend die Ähre enthülsen.

Septemberabend.
Milchkannenwaschen
und Futterstampfen.
Der Schleifstein wird gesetzt.
Am Messerbalken
der Mähmaschine
das Schartige geschärft.
Aus grauem Brunnen quillt Dämmerung.
Ein Arm schwenkt langsam die Stallaterne,
im steigenden Staub die Herde zu leiten,
die feueräugig in die Nacht der Ställe zieht.

Septemberabend.
Die Ackerwege
sind weiß und eben
vom Ortscheit des Mondes geschleppt.

Der Fischer stellt den Pfahl,
die Reuse senkend in den Fluß,
wo Fische flossenstark sich stemmen,
drückt blank die Strömung an das Schilf.

Wie Augen der Eulen
glosen im Nebel die Flößerlampen.

Und Holzrauch weht vom Wasser her.
Und die Liebenden,
unter dem schwarzen
Flieder der Nacht
den Gräseratem
der Erde trinkend,
wenn sie sich trennen
im Grillengewetz und eilen
den großen Fahrweg hin,
da in den Kämmen der Hähne
das Frührot leuchtet,
der Käfer hängt in tauiger Morgenstarre —
sie sehen nicht mehr den Tod,
das weiße Garn der Greisin,
das brüchig über die Stoppel weht.

O Sterne, Gedanken,
Anzündung des Morschen,
Blinkfeuer der Nacht,
groß sinkend und still
über der letzten Fläche
des Sturms — doch euer Licht,
das Steine und Knochen durchweht,
bahnt wie mit Beilen den Weg
durchs harte Gestrüpp der Zeit.

Der Wald nimmt den Wind
in seinen Atem,
daß seine Wurzeln
spalten das tiefe Erz,
wo Feuer und Finsternis
ein Wesen sind.

Dezemberrissiger Acker,
auftauende Erde im März,
Mühsal und Gnade trägt der Mensch.

(*Sinn und Form*, 2. Jahrgang, 1950, 4. Heft, S. 127—136)

Literaturverzeichnis

(Vgl. auch die umfangreiche Bibliographie in dem unten genannten Band
von Hans Mayer [Hrsg.]: *Über Peter Huchel*)

I. Quellen

Huchel, Peter:

1. Gedichtbände

Gedichte. Berlin 1948.

Gedichte. Karlsruhe 1949.

Chausseen Chausseen. Frankfurt a. M. 1963.

Die Sternenreuse. München 1967.

Gezählte Tage. Frankfurt a. M. 1972.

2. Einzelveröffentlichungen

a) Prosa

Europa neunzehnhunderttraurig — autobiographische Skizze. In: Die literarische
Welt 7, 1931, Nr. 1, S. 3—4.

Desdemona. Eine Novelle. In: DLW 7, 1931, Nr. 18, S. 3—4.

Im Jahre 1930. In: DLW 7, 1931, Nr. 45, S. 4.

Frau. In: DLW 7, 1931, Nr. 51/52, S. 5—6.

Von den armen Kindern im Weihnachtsschnee. Erzählung. In: DLW 7, 1931,
Nr. 51/52, Weihnachtsbeilage, S. 2.

Antwort auf den offenen Brief eines westdeutschen Schriftstellers. In: Neue
Deutsche Literatur 1, 1953, Nr. 9, S. 89—91.

Winterpsalm — Selbstinterpretation. In: Hilde Domin (Hrsg.): Doppelinterpretationen. Das zeitgenössische deutsche Gedicht zwischen Autor und Leser.
Frankfurt a. M., Bonn 1967, S. 96—97.

Dankrede zur Verleihung des österreichischen Staatspreises für europäische Literatur. In: Literatur und Kritik 63, April 1972, S. 130—131.

Für Hans Henny Jahnn — Aus einer Rede, gehalten am 18. Dezember 1959 in
der Deutschen Akademie der Künste. In: Hans Henny Jahnn. Buch der
Freunde. Hamburg-Wandsbek o. J. (1961), S. 51—53.

b) Gedichte (nicht in den Sammelbänden aufgenommen)

Du Name Gott (unter dem Pseudonym Helmut Huchel). In: Das Kunstblatt 9,
1925, S. 166.

Der Osterhase. In: DLW 7, 1931, Nr. 14/15, Osterbeilage, S. 3.

Mädchen im Mond. In: DLW 8, 1932, Nr. 15/16, S. 1.

Der seltsame Handwerker. In: DLW 8, 1932, Nr. 32, S. 3.

Der Totenherbst. In: Die Kolonne 3, 1932, 1. Heft, S, 5—6.

Die Kammer. In: Die Kolonne 3, 1932, 2. Heft, S. 27.

Herbstabend. In: Das Innere Reich 1, 1934/35, S. 815.

November-Endlied. In: Das Innere Reich 1, 1934/35, S. 816.

Das Gesetz. In: Sinn und Form 2, 1950, 4. Heft, S. 127—136.

Chronik des Dorfes Wendisch-Luch. In: Sinn und Form 3, 1951, 4. Heft, S. 137 bis 139.

Bericht aus Malaya. In: Neue Deutsche Literatur 4, 1956, S. 65—74.

Jan-Felix Caerdal — In memoriam Günter Eich. In: Günter Eich zum Gedächtnis. Frankfurt a. M. 1973, S. 68.

Das Grab des Odysseus. In: Jahresring 74—75, Stuttgart 1974, S. 9.

Melpomene. Ibid. S. 9—10.

Der Ammoniter. Ibid. S. 10—11.

Die neunte Stunde. Ibid. S. 11.

Unterwegs. Ibid. S. 11—12.

Philipp. Die Neue Rundschau 85, 1974, S. 421.

Begegnung. Ibid. S. 421—422.

Östlicher Fluß. Ibid. S. 422—423.

Blick aus dem Winterfenster. Ibid. S. 423.

Der Tod des Büdners. In: Frankfurter Allgemeine Zeitung, 17.5.1975, Literaturbeilage.

c) Sonstiges

Gegen den Strom, Gespräch mit Hansjakob Stehle. In: Die Zeit, 27. Jahrgang, Nr. 22, Juni 1972, S. 13—14.

Goldmann, Bernd (Hrsg.): Hans Henny Jahnn — Peter Huchel, Ein Briefwechsel 1951—1959. Mainz 1974.

II. Literatur zu Peter Huchel

Best, Otto F. (Hrsg.): Hommage für Peter Huchel. München 1968. (Die Beiträge zu diesem Band sind hier nicht separat aufgeführt.)

Brandt, Sabine: Huchels frühe Gedichte. In: Der Monat 19, 1967, Nr. 227, S. 65—68.

Bräutigam, Kurt: Peter Huchel: „Letzte Fahrt." „Bericht des Pfarrers vom Untergang seiner Gemeinde." Zwei Interpretationen. In: Moderne deutsche Balladen. Versuche zu ihrer Deutung. Frankfurt a. M. 1968, S. 57—64.

Doederlein, Johann Ludwig: Peter Huchel. In: Das Einhorn. Jahrbuch Freie Akademie der Künste in Hamburg 1957, S. 168—172.

Flores, John: Peter Huchel: The Disenchanted Idyll. In: Poetry in East Germany; Adjustments, Visions, and Provocations 1945—1970. New Haven and London 1971, S. 119—204.

Franke, Konrad: Die Literatur der DDR (Kindlers Literaturgeschichte der Gegenwart in Einzelbänden). München 1971. Darin Abschnitt über Peter Huchel S. 236—239.

Fuchs, Walter R.: Zu Peter Huchel: Elegie. In: Lyrik unserer Jahrhundertmitte. München 1965, S. 63—64.

Haas, Willy: Ansprache bei der Verleihung der Plakette (der Freien Akademie der Künste, Hamburg) an Peter Huchel am 7. 11. 1959. In: Das Einhorn. Jahrbuch Freie Akademie der Künste in Hamburg 1960, S. 11—15.

Hamm, Peter: Vermächtnis des Schweigens. Der Lyriker Peter Huchel. In: Merkur 18, 1964, Nr. 195, S. 480—488.

Hartung, Rudolf: Geh fort, bevor im Ahornblatt. Peter Huchels neuer Gedichtband „Gezählte Tage". In: Frankfurter Allgemeine Zeitung, 14. 10. 1972.

—: Peter Huchel. In: Der Friede und die Unruhestifter — Herausforderungen deutschsprachiger Schriftsteller im 20. Jahrhundert. Hrsg. v. Hans Jürgen Schultz. Frankfurt a. M. 1973, S. 220—227.

Heise, Hans-Jürgen: Peter Huchels neue Wege. In: Neue Deutsche Hefte 10, 1964, Nr. 99, S. 104—111.

—: Der Fall Peter Huchel. In: Die Welt, 28. 10. 1972.

Holthusen, Hans Egon: Rezension zu Peter Huchels Chausseen Chausseen. In: Frankfurter Allgemeine Zeitung, 29. 2. 1964.

Hutchinson, Peter: „Der Garten des Theophrast" — An Epitaph for Peter Huchel? In: German Life and Letters 24, 1971, S. 125—135.

Jens, Walter: Deutsche Literatur der Gegenwart, München 1961, S. 105 f.

—: Wo die Dunkelheit endet. Zu den Gedichten von Peter Huchel. In: Die Zeit, 18. Jahrgang, Nr. 49, November 1963, S. 17.

Kantorowicz, Alfred: Das beredte Schweigen des Dichters Peter Huchel. In: Das Einhorn. Jahrbuch Freie Akademie der Künste in Hamburg 1968, S. 156 bis 182.

Karasek, Hellmuth: Peter Huchel. In: Deutsche Literatur. 53 Porträts. Hrsg. von Klaus Nonnemann, Olten und Freiburg im Breisgau 1963, S. 162—167.

Kopplin, Wolfgang: Zu Peter Huchels Gedicht „Unter der Wurzel der Distel". In: Beispiele. Deutsche Lyrik '60—'70. Texte, Interpretationshilfen. Paderborn 1969, S. 57—61.

Korlén, Gustav: Huldigung für Peter Huchel. In: Moderna Sprak 63, 1969, S. 26—29.

Krolow, Karl: Kapitel ‚Lyrik' in: Dieter Lattmann (Hrsg.): Die Literatur der Bundesrepublik Deutschland (Kindlers Literaturgeschichte der Gegenwart in Einzelbänden). München 1973. Darin Abschnitt über Peter Huchel S. 401 bis 406.

Laschen, Gregor: Sprache und Zeichen in der Dichtung Peter Huchels. In: Lyrik in der DDR. Anmerkungen zur Sprachverfassung des modernen Gedichts. Frankfurt a. M. 1971, S. 38—45.

Lehmann, Wilhelm: Maß des Lobes: Zur Kritik der Gedichte von Peter Huchel. In: Deutsche Zeitung und Wirtschaftszeitung, 8. Februar 1964, S. 17.

Lüdtke, Robert (zu dem Gedicht „Der Garten des Theophrast"): Über neuere mitteldeutsche Lyrik im Deutschunterricht der Oberstufe. In: Der Deutschunterricht 20, 1963, S. 49—51.

Mader, Helmut: Abschied von den Hirten — Zu Huchels letztem Gedichtband ‚Gezählte Tage‘. In: Die Neue Rundschau 84, 1973, S. 161.

Mayer, Hans: Zu Gedichten von Peter Huchel. In: Zur deutschen Literatur der Zeit. Hamburg 1967, S. 178—187.

—: „Winterpsalm" (Interpretation). In: Hilde Domin (Hrsg.): Doppelinterpretationen. Das zeitgenössische deutsche Gedicht zwischen Autor und Leser. Frankfurt a. M., Bonn 1967, S. 98—100.

— (Hrsg.): Über Peter Huchel. Frankfurt a. M. 1973. (Die in diesem Band zum erstenmal erschienenen Beiträge werden hier nicht separat aufgeführt.) Vgl. Rezension von Livia Z. Wittmann in: Germanistik 15, 1974, Heft 3, S. 707—708.

Meidinger-Geise, Inge: Peter Huchel. In: Deutsche Dichter der Gegenwart (hrsg. v. B. v. Wiese). Berlin 1973, S. 168—181.

Nolte, Jost: Lyrische Fälle — Lehmann contra Huchel. In: Grenzgänge, Berichte über Literatur. Wien 1972, S. 13—20.

Pongs, Hermann (über das Gedicht „Letzte Fahrt"): In: Das Bild in der Dichtung, Band III, Marburg 1969, S. 167—170.

Raddatz, Fritz J.: Natur als Prozeß der Geschichte — Peter Huchel In: Traditionen und Tendenzen. Materialien zur Literatur der DDR. Frankfurt a. M. 1972, S. 123—132.

Sanders, Rino: Peter Huchel — Chausseen Chausseen. In: Die Neue Rundschau 75, 1964, S. 324—329.

Schonauer, Franz: Peter Huchels Gegenposition. In: Akzente 12, 1965, S. 404 bis 414.

Seidler, Ingo: Peter Huchel und sein lyrisches Werk. In: Neue Deutsche Hefte 14, 1968, Nr. 117, S. 11—28.

Times Literary Supplement. 28. September 1967, S. 912.

Trommler, Frank: Peter Huchel. In: Handbuch der deutschen Gegenwartsliteratur. Hrsg. von Hermann Kunisch, München 1969[2].

Vieregg, Axel: Peter Huchel: an Introduction. In: Islands — A New Zealand Quarterly of Arts and Letters 2, 1973, Heft 1, S. 35—37.

Wapnewski, Peter: Nachwort zu „Peter Huchel — Ausgewählte Gedichte". Frankfurt a. M. 1973, S. 123—133.

Wilk, Werner: Peter Huchel. In: Neue Deutsche Hefte 8, 1962, Nr. 90, S. 81—96.

Wondratschek, Wolf: Maß und Unmaß des Lobes. In: Text und Kritik 9, 1965, S. 34—36.

Zak, Eduard: Der Dichter Peter Huchel. Versuch einer Darstellung seines lyrischen Werkes. In: Neue Deutsche Literatur 1, 1953, Nr. 4, S. 164—183.

Zulauf-Wittmann, Livia: Peter Huchel. In: A nemet irodalom a 20. században, Budapest 1966, S. 407—424.

III. Allgemeine Literatur

Aler, Jan: Mythical Consciousness in Modern German Poetry. In: Reality and Creative Vision in German Lyrical Poetry. Hrsg. von A. Closs, London 1963, S. 183—197.

Bachofen, Johann Jakob: Das Mutterrecht. Hrsg. von Karl Meuli, Basel 1948[3].

—: Versuch über die Gräbersymbolik der Alten. Hrsg. von Ernst Howald, Basel 1954[3].

Bachmann, Ingeborg: Anrufung des Großen Bären. München 1956.

—: Die gestundete Zeit. München 1957.

Baden, Hans-Jürgen: Der verschwiegene Gott; Literatur und Glaube. München 1963.

Baudelaire, Charles: Les Fleurs du Mal. Hrsg. von Antoine Adam, Paris 1961.

Beit, Hedwig von: Symbolik des Märchens. Versuch einer Deutung. 3 Bde. Bern 1960—1965.

Bender, Hans (Hrsg.): Mein Gedicht ist mein Messer. München 1969.

Benn, Gottfried: Gesammelte Werke in vier Bänden. Hrsg. von D. Wellershoff. Wiesbaden 1962.

Bien, Günter: Option für die Frage. Versuch über das Werk Günter Eichs. In: Text und Kritik, 1964, Heft 5, S. 3—10.

Bobrowski, Johannes: Sarmatische Zeit. Stuttgart 1961.

—: Schattenland Ströme. Stuttgart 1962.

—: Selbstzeugnisse und Beiträge über sein Werk. Berlin 1967.

Bodkin, Maud: Archetypal Patterns in Poetry; psychological studies of imagination. Oxford 1934.

Böhme, Jacob: Sämtliche Schriften. Neu hrsg. v. Will-Erich Peuckert, Stuttgart 1955—1960.

de Boor, Helmut (Hrsg.): Mittelalter, Texte und Zeugnisse. 2 Bde. München 1965.

Buber, Martin: Werke. 2 Bde. München 1962—1963.

Büchner, Georg: Sämtliche Werke. Hrsg. von Paul Stapf. Berlin 1963.

Burger, Heinz Otto; Grimm, Reinhold: Evokation und Montage. Drei Beiträge zum Verständnis moderner deutscher Lyrik. Göttingen 1961.

Campbell, Joseph: Occidental Mythology, London 1965.

Camus, Albert: Le mythe de Sisyphe. Paris 1943.

—: L'homme révolté. Paris 1961.

Celan, Paul: Mohn und Gedächtnis. Stuttgart 1952.

—: Die Niemandsrose. Frankfurt a. M. 1953.

—: Von Schwelle zu Schwelle. Stuttgart 1955.

—: Sprachgitter. Frankfurt a. M. 1959.

Eich, Günter: Botschaften des Regens. Frankfurt a. M. 1955.

—: Zu den Akten. Frankfurt a. M. 1964.

Emrich, Wilhelm: Symbolinterpretation und Mythenforschung. In: Euphorion 47, 1953, S. 38—67.

Epikur: Von der Überwindung der Furcht. Hrsg. von Olof Gigon, Zürich 1949.

Frenzel, Elisabeth: Stoff-, Motiv- und Symbolforschung. Stuttgart 1966².

Friedrich, Hugo: Die Struktur der modernen Lyrik. Hamburg 1966³.

Fuhrmann, Manfred (Hrsg.): Terror und Spiel. Probleme der Mythenrezeption. München 1971.

Grassi, Ernesto: Kunst und Mythos. Hamburg 1957.

Guthke, Karl S.: Die Mythologie der entgötterten Welt. Göttingen 1971.

Herd, Eric W.: Myth and Modern German Literature. In: Myth and the Modern Imagination. Six lectures edited by Margaret Dalziel. Dunedin (Neuseeland) 1967, S. 51—76.

Herodot: Historien. Hrsg. von Josef Feix. 2 Bde. München 1963.

Heselhaus, Clemens: Deutsche Lyrik der Moderne. Düsseldorf 1962².

Hesiod: Sämtliche Werke. Hrsg. von Günther Schmidt, Bremen 1965³.

Heydebrand, Renate von: Engagierte Esoterik. Die Gedichte Johannes Bobrowskis. In: Wissenschaft als Dialog. Studien zur Literatur und Kunst seit der Jahrhundertwende. Hrsg. von Renate von Heydebrand und Klaus Günter Just. Stuttgart 1969, S. 386—450.

Höck, Wilhelm: Formen heutiger Lyrik. Verse am Rande des Verstummens. München 1969.

Hof, Walter: Stufen des Nihilismus: Nihilistische Strömungen in der deutschen Literatur vom Sturm und Drang bis zur Gegenwart. In: Germanisch-Romanische Monatsschrift, Neue Folge 13, 1963, S. 397—423.

Hölderlin, Friedrich: Sämtliche Werke. Hrsg. von Friedrich Beissner. Große Stuttgarter Hölderlin-Ausgabe, Stuttgart 1946.

Homer: Ilias/Odyssee. Übersetzt von Johann Heinrich Voss, Anmerkungen, Nachwort von Wolf-Hartmut Friedrich, München 1965.

Jens, Walter: Die Götter sind sterblich, Pfullingen 1959.

Jung, C. G.: Aion: Untersuchungen zur Symbolgeschichte, Zürich 1951.

—: Von den Wurzeln des Bewußtseins, Zürich 1954.

Kahn, Ludwig: Literatur und Glaubenskrise. Stuttgart 1964.

Killy, Walther: Wandlungen des lyrischen Bildes, Göttingen 1964⁴.

—: Über Georg Trakl. Göttingen 1967³.

—: Mythologie und Lyrik. In: Die Neue Rundschau 80, 1969, S. 694—721.

Knörrich, Otto: Die deutsche Lyrik der Gegenwart, 1945—1970. Stuttgart 1971.

Koyré, Alexandre: La philosophie de Jacob Boehme. Paris 1929.

Krispyn, Egbert: Günter Eich and the Birds. In: German Quarterly 37, 1964, S. 246—256.

Krolow, Karl: Gesammelte Gedichte. Frankfurt a. M. 1965.

—: Aspekte zeitgenössischer deutscher Lyrik. Gütersloh 1961².

Kunisch, Hermann: Die deutsche Gegenwartsdichtung, Kräfte und Formen. München 1968.

Langgässer, Elisabeth: Gedichte. Hamburg 1959.

Lehmann, Wilhelm: Sämtliche Werke in drei Bänden. Gütersloh 1962.

Lersch, Heinrich: Mensch im Eisen. Berlin und Leipzig 1925.

Maier, Rudolf Nikolaus: Das moderne Gedicht. Düsseldorf 1963[3].

Müller, Hartmut: Formen moderner deutscher Lyrik. Paderborn 1970.

Neumann, Erich: Über den Mond und das matriarchalische Bewußtsein. In: Eranos Jahrbuch 18, 1950, S. 323—376.

—: Die Große Mutter. Zürich 1956.

Nietzsche, Friedrich: Werke in drei Bänden. Hrsg. von Karl Schlechta, München 1960[2].

Novalis: Schriften. Hrsg. von Paul Kluckhohn und Richard Samuel, Stuttgart 1960.

Oppens, Kurt: Gesang und Magie im Zeitalter des Steins. Zur Dichtung Ingeborg Bachmanns und Paul Celans. In: Merkur 17, 1963, S. 175—193.

Pongs, Hermann: Das Bild in der Dichtung. Marburg, Band I 1960[2], Band II 1967[3], Band III 1969.

Ranke-Graves, Robert von: Griechische Mythologie, Quellen und Deutung. 2 Bände, Hamburg 1968[5].

Raschke, Martin (aus der Zeitschrift Die Kolonne). In: Hinweis auf Martin Raschke, eine Auswahl der Schriften. Hrsg. und mit einem Nachwort versehen von Dieter Hoffmann. Heidelberg, Darmstadt 1963.

Schäfer, Hans Dieter: Wilhelm Lehmann; Studien zu seinem Leben und Werk. Bonn 1969.

Schmidt-Henkel, Gerhard: Mythos und Dichtung. Zur Begriffs- und Stilgeschichte der deutschen Literatur im neunzehnten und zwanzigsten Jahrhundert. Bad Homburg, Berlin, Zürich 1967.

Shakespeare, William: Macbeth. Hrsg. v. Kenneth Muir. The Arden Edition of the Works of William Shakespeare, London 1963[9].

Snell, Bruno: Die Entdeckung des Geistes. Studien zur Entstehung des europäischen Denkens bei den Griechen. Hamburg 1955.

Soergel, Albert; Hohoff, Curt: Dichtung und Dichter der Zeit. 2 Bände, Düsseldorf 1964.

Steiner, George: The Death of Tragedy. London 1961.

Strich, Fritz: Die Mythologie in der deutschen Literatur. 2 Bände, Bern, München 1970, Nachdruck der 1. Auflage, Halle an der Saale 1910.

Trakl, Georg: Dichtungen und Briefe. Hrsg. von Walther Killy und Hans Szklenar, 2 Bände, Salzburg 1969.

Wolffheim, Hans: Hans Henny Jahnn — Der Tragiker der Schöpfung, Frankfurt a. M. 1966.

Ziolkowski, Theodore: Der Hunger nach dem Mythos — zur seelischen Gastronomie der Deutschen in den zwanziger Jahren. In: Die sogenannten Zwanziger Jahre, First Wisconsin Workshop. Hrsg. v. Reinhold Grimm und Jost Hermand, Bad Homburg v. d. H., Berlin, Zürich 1970, S. 169—201.

IV. Nachschlagewerke

Bächtold-Stäubli, H.: Handwörterbuch des deutschen Aberglaubens. Berlin, Leipzig 1930—1931.

Brockhaus Enzyklopädie, Wiesbaden 1966.

Funk & Wagnall: Standard Dictionary of Folklore, Mythology, and Legend. New York 1950.

Encyclopaedia of Religion and Ethics. Edinburgh 1908—1921.

New Catholic Encyclopedia, Washington 1967.

Verzeichnis der behandelten Gedichte

Abschied von den Hirten 132 f.
Alkaios 23
Alt-Seidenberg 16, 104, 138—146
Am Beifußhang 96, 104 ff., 122
Ankunft 44 ff., 63, 71, 75, 121, 128, 146
Antwort 21
Aristeas 49, 52
Auf den Tod von V. W. 96 f., 110

Bartok 68, 115 f., 121
Begegnung 145
Bei Wildenbruch 132 ff.
Bericht aus Malaya 81, 113

Chiesa del Soccorso 84
Chronik des Dorfes Wendisch-Luch 99 f., 105, 108, 130

Damals 102 ff., 111 f., 115
Das Gesetz 11, 36 f., 75, 86, 100, 105, 109, 120, 123, 129
Das Zeichen 29 f., 32, 40, 55, 60
Der Garten des Theophrast 10, 27, 57
Der glückliche Garten 103, 107 f.
Der Knabenteich 136
Der Osterhase 20
Der polnische Schnitter 106, 116 f., 119 f., 122
Der Rückzug 55, 113, 126, 134
Der Schlammfang 146
Der Treck 48, 123 f.
Der Zauberer im Frühling 118
Deutschland 11, 59
Dezember 104
Die Engel 22, 69—76, 79, 83 ff., 87, 90
Die Gaukler sind fort 32, 64 ff., 79, 84
Die Hirtenstrophe 88 f.
Die Magd 93—102, 105, 107, 109, 111, 113 f., 130

Die Nachbarn 89
Die Pappeln 56, 67, 109, 116, 124 f.
Die Schattenchaussee 48
Die Spindel 44, 75, 105, 108 ff., 113, 119, 125, 134
Du Name Gott 17, 79

Eine Herbstnacht 75, 104 f., 110, 114, 125 f.
Elegie 29 ff., 37, 39, 43, 56, 62, 67, 70, 84 f., 128
Erscheinung der Nymphe im Ahornschauer 135
Exil 58, 67, 119

Frühe 101, 115, 120 f.

Gehölz 25 f., 146
Gezählte Tage 21 f.

Hahnenkämme 115
Haus bei Olmitello 65 f., 69, 77—84, 87, 146
Heimkehr 76, 100 ff., 114, 126
Herkunft 99, 112
Hinter den weißen Netzen des Mittags 31, 38 ff., 43, 105 f., 120

In der Bretagne 43
In der Lachswasserbucht 131 f., 135
In Memoriam Paul Eluard 35, 57

Kinder im Herbst 126
Kindheit in Alt-Langerwisch 106, 113
Krähenwinter 54

Landschaft hinter Warschau 29 f., 113
Le Pouldu 42 ff., 62, 105, 120
Letzte Fahrt 85

Macbeth 136 ff.
Mädchen im Mond 103
Mittag in Succhivo 24 f.

Momtschil 109
Monterosso 84 f.

Nächtliches Eisfenster 59
November 73 f.
November-Endlied 134

Odysseus und die Circe 25
Ölbaum und Weide 130, 134 f.
Oktoberlicht 105

Pe-Lo-Thien 26 f., 131 f., 136
Philip 113
Polybios 23
Psalm 41, 44

San Michele 41, 82 ff.
Schlucht bei Baltschik 56, 74, 126
Sibylle des Sommers 41
Soldatenfriedhof 55, 119
Sommer 91
Späte Zeit 11, 44, 58 f., 89
Südliche Insel 33 ff., 39, 62, 80, 84, 86, 128

Thrakien 44
Totenregen 134
Traum im Tellereisen 41

Unter Ahornbäumen 12
Unter der blanken Hacke des Monds 131 f.
Unter der Wurzel der Distel 22 ff., 41
Unterm Sternbild des Hercules 36, 60, 110
Unterwegs 145

Verona 30, 37, 67
Vorfrühling 118 f., 123

Wei-Dun und die alten Meister 31
Weihnachtslied 87 ff.
Wendische Heide 16, 113, 115, 122, 130, 132
Widmung (für Ernst Bloch) 56—63, 66, 69, 121
Wilde Kastanie 106 f.
Winterpsalm 11
Winterquartier 121 f.

Zunehmender Mond 104
Zwölf Nächte 18, 44, 53 ff., 58 f., 89

Index und Stellennachweis der behandelten Schlüsselwörter

Berücksichtigt sind:

Die Sternenreuse (SR)
Chausseen Chausseen (CC)
Gezählte Tage (GT)
Jahresring 74—75 (JR)
Die Neue Rundschau 85, 1974 (NR)

Ahorn (s. **Totenbaum**)

Alte (s. **Frauengestalt**)

Beifuß 96 f., 104 f., 107, 114, 122; SR 12, 20, GT 30; Beifußhang SR 20.

Distel 13, 22 ff., 30 f., 40, 43, 49, 51 f., 105, 133; SR 49, 53, CC 12, 39, 52, 74, 83, GT 17, 77, 78, 80, 90, 94; Distelkronen SR 69; distelsausend SR 86; Distelstrauch SR 57.

Dunkelheit (Dunkel, Finsternis) 18 f., 21, 24, 30 ff., 34, 39 f., 43, 53, 56, 61 ff., 67, 70 f., 74 f., 83 f., 107, 125 f., 128, 133, 137; Dunkel SR 18, CC 30, 39, 52, 59, GT 25, 90, NR 423; dunkel SR 61, 67, 78, CC 11, 17, 54; Dunkelheit SR 10, 32; dunkeln SR 60; verdunkeln SR 38; düster GT 33; finster CC 76, GT 22, 79; Finsternis SR 77, CC 74, GT 31, 57, 80.

Eis (s. **Kälte**)

Faden (Garn, Spinnennetz, Wolle; s. auch **Spinne**) 75, 105, 108 ff., 113, 115, 129; Altweiberzwirn SR 24; Faden SR 10, 60, CC 23, 49, 53, GT 17; Garn CC 25, GT 22; Gespinst SR 68; Netz SR 39, 60, GT 81; Seil SR 60; seilen SR 10, 60; Spindel CC 48, 49, GT 22; spinnen SR 10, CC 48; Spinnenzwirn SR 24; Spinnweb SR 49; stricken SR 13; Strickzeug SR 13; weben SR 60, GT 22; wickeln CC 49, GT 22; Wolle SR 18; wollig SR 55.

Feuer 49, 61, 63 f., 66 f., 69, 74 ff., 118, 120 f., 125 f., 128, 142, 146; SR 9, 11, 14, 30, 37, 39, 45, 48, 50, 52, 54, 57, 60, 63, 64, 65, 67, 78, 86, CC 12, 14, 17, 19, 23, 24, 30, 32, 41, 46, 59, 60, 66, 81, 83, GT 10, 23, 31, 33, 48, 54, 57, 61, 63, 64, 69, 90, JR 9, NR 421, 423; feuerbeschienen GT 64; Feuerbild CC 45; Feuerrauch SR 57; Feuerschlund SR 30; Flamme SR 52.

Finsternis (s. **Dunkelheit**)

Fisch (Fischer, Netz, Reuse etc.) 32, 81, 84 f.; Angelhaken NR 422; Fangnetz GT 26; Fangschnur NR 421; Fisch SR 27, 28, 40, 64, 66, CC 21, 32, 34, 40, GT 43, 57, 63, 80; fischen SR 59, CC 39, GT 25; Fischer SR 64, CC 18, 19, 65, GT 25, 50, 86; Fischfang CC 17; Fischgräten CC 53; Fischschuppenhemd CC 21; Flossenschlag GT 14; Harpune CC 16; Hecht SR 27, 34; Netz SR 23, 27, 32, 34, CC 13, 21, 24, 39, 46, NR 422; Netzwerk GT 43; Reuse SR 27, 64, NR 422; Stacheldrahtreuse GT 7; Sternenreuse SR 59; Tau CC 21; Weidenreuse SR 19.

Fledermaus 65, 67 f., 113, 115 f., 125; SR 7, 19, 24, CC 66, GT 12, 13.

Fluß (s. auch **Schlucht**) 68, 70, 110, 115 f., 123, 130, 141, 145; SR 19, 47, 59, 61, 64, 82, 86, 89, CC 14, 34, 35, 45, 46, 52, 62, 65, 77, 80, GT 21, 25, 39, 63, 69, 94, NR 422; flußabwärts SR 89; Jordan GT 52; Strom GT 14, 67.

Frauengestalt (Alte, Frau, Greisin, Magd etc.) 10, 19 f., 74 ff., 93—110 passim, 114 ff., 122, 125 f., 129 f., 134 ff., 141 ff.; Alte SR 45, CC 48, GT 24, 26; Altweiberzwirn SR 24; Frau SR 53, 83, 92, CC 9, 39, 60, GT 21, 39, 46; Fräulein GT 47; Greisin CC 30, 37, GT 63; Hexe GT 46; Hexenheide SR 22; Klettenmarie SR 18; Magd SR 10, 12, 13, 20, 24, 36, 39, 42, CC 39; Marguerite CC 41; Marie Thérèse Bois SR 50; Mutter SR 12, 38, 83, 93; Nymphe SR 65, CC 24, GT 86; Tochter der asiatischen Göttin JR 12; Weidenmütter GT 26; Zigeunerin JR 10.

Fruchtkapsel 13, 96 f., 105 f., 116; Apfel SR 7, 12; apfelduftend SR 53; Beere SR 39; Birne SR 9; Brombeertisch SR 7; Brombeerzaun SR 17; Feige CC 23; Früchte SR 17; Hagebutte SR 25; Haselnüsse SR 25; Honigbirne SR 24; Kastanie SR 25, 39; Kastanienbälle SR 39; Kienzapf SR 12; Klette SR 8; Klettenmarie SR 18; Kürbiskerne SR 19; Mandelschalen CC 23; Nuß SR 7, 17, 86; Nußblatt SR 12; nußweiß SR 7; Obst SR 19; Schneebeere SR 25; Walnuß SR 24.

Frühlicht (Frühe, Morgenröte etc.) 80 f., 101, 115, 118 ff., 123, 125 f., 144; dämmern SR 92; Dämmerung GT 7; Frühe SR 67, 71, 84, 91, 93, CC 18, 29, 40, 65, GT 11, 60, 64; Frühtau SR 78; erste Helle CC 69, Helle, du kündest den Tag SR 85; war der Tag kaum hell SR 10; am Morgen SR 92; gegen Morgen wühlt das Licht das Dunkel auf GT 89; jungfräulicher Morgenhimmel SR 46; Morgenlicht SR 89; Morgenröte CC 66; am Rand der Morgenröte SR 91; Morgentau SR 91; am Rand der Nacht SR 15; Röte des Morgens SR 15; die trübe Stunde, noch vor dem Fünfuhrmelken CC 29; wenn es grün am Himmel tagt SR 10; Wiesenfrühe SR 26.

Gras (Heu, Stroh etc.) 95 ff., 102 f., 107 f., 110, 113, 116, 120, 122, 125; SR 16, 17, 21, 40, 42, 53, 54, 55, 57, 58, CC 25, 48, 65, GT 21, 40, 48, 53, 77, 93, JR 9; Gräser CC 35, 55, GT 87; grashaarig NR 421; Heu SR 8, CC 60; Riedgras SR 12; Stroh SR 13, 49, 52, CC 31; Strohkranz SR 20; strohwarm SR 8; Wiesengesicht SR 55; wiesig SR 16; Zittergras SR 41.

Greisin (s. **Frauengestalt**)

Haar 104, 110, 113, 116, 120, 122; Binsenhaar SR 23; grashaarig NR 421; Haar SR 8, 9, 12, 21, 27, 53, 89, CC 23, 35, 40, 41, 52, 60, 64, GT 43, 53; Scheitel CC 48; weißhaarig SR 45; Winterhaar GT 44; zottig SR 55.

Hahn 115, 120 f.; SR 12, 13, 19, 29, GT 24, JR 10.

Hang (s. **Hügel**)

Hügel (Hang) 104 f., 107, 114, 125, 141, 145 f.; Beifußhang SR 20; bergan SR 50; Ginsterhügel GT 44; Hang SR 11, 16, 40, 84, CC 48, 49, 65, GT 8, 66; hangher SR 50; Hügel SR 18, 32, 54, CC 9, 11, 46, 52, GT 11, 12, 53, 54, 79, 88, JR 10; Septemberhügel CC 52; Silberhügel SR 69; Steppenhügel JR 9.

Hund 103, 112 ff., 117, 123, 145; Dogge SR 7, GT 45, 86; Gebell JR 12;
Hund SR 7, 14, 18, 33, 42, 75, 84, 88, CC 64, 76, GT 77, 91, JR 11;
Hundegaumen CC 62; Hundegeheul CC 62, GT 42.

Kälte (Eis, Frost, Schnee etc.) 18, 21, 23, 30, 35, 43, 51, 53 f., 56 f., 59 ff., 67,
125, 131; bitterkalt SR 33; Eis SR 32, 33, 36, 38, 66, 76, CC 11, 63,
65, 68, 76, GT 32, 39, 70, 89, NR 423; Eisfenster SR 61; eisig SR 36,
61, 62, 63, 69, 92, CC 9, 24, 46, GT 9, 27, 58, 63, 77, 81, 85, 87; vereist
SR 36, 89, CC 80, GT 64, JR 10, NR 421; frieren SR 48, 75, CC 64, 65,
78, GT 41, 42; eingefroren GT 39; überfroren SR 92; Frost SR 10,
32, 37, 46, GT 29, 42, 65, 67, 76; frostig SR 62, CC 65; frostverbrannt
GT 34; kalt SR 17, 27, 46, 60, 61, 62, 63, 68, 76, 77, 78, 80, 84, 92,
CC 41, GT 10, 39; Kälte SR 36, CC 80, GT 22, 27, 35, 40, 76, 95;
Schnee SR 27, 32, 33, 35, 36, 38, 45, 55, 67, 76, 81, 83, 88, CC 10, 11, 14,
32, 35, 64, 67, 80, 84, GT 31, 46, 62, JR 10, NR 421; Schneegesträuch
GT 32; schneegetüncht CC 49; schneelos GT 35; Schneeluft CC 35;
Schneepflüge GT 76; Schneesturm GT 30; schneeumtanzt NR 423;
schneeverkrustet CC 63; Schneewind CC 76, GT 27; schneien SR 10,
34; beschneit GT 84; verschneit SR 61; Winter SR 36, CC 45, GT 32;
Winterfeuer CC 11; Wintergewitter CC 64; Winterhimmel GT 35;
winterlich GT 64; wintern SR 36; Winterquartier CC 67.

Kuh (Milch, Rind, Stute etc.) 95, 99 ff., 106 f., 109, 114, 126; Brust JR 10;
Eselsstute CC 37; Fünfuhrmelken CC 29; Geiß SR 12; Kalb SR 31;
Kuh SR 8, 25, 31; melken CC 46; Milch SR 8, 38, CC 66, GT 13;
Milchgeruch SR 12; milchig SR 18, 25, CC 29, GT 64; Maultierstute
GT 70; Rind SR 29, 93; Satansmilch SR 8; säugen JR 10; Schafs-
milch CC 31; Stute SR 16, GT 70; Tagesgemelk CC 9; Wolfsmilch
GT 45; Zitze SR 12.

Laub 12, 119; Blätter SR 39, 53, 63, 70, CC 47, GT 21, 50; Blätterdach
SR 41; blätterdunstig GT 39; Blättergebraus SR 26; Blätterschauer
SR 54; blätterstürzend CC 52; Eichenlaub GT 34; Laub SR 18, 25,
32, 53, 68, 70, 75, CC 45, 48, 68, 81, GT 8, 9, 11, 26; laubig CC 23;
Laubloch SR 88; laubverschwemmt SR 68; Laubwerk GT 16.

Lebensbaum (Eiche, Ölbaum, Pappel) 65 f., 109, 115, 121 ff., 126, 134, 141,
145 f.; Bindebaum SR 21; Eiche SR 29, 36, GT 12, 39, 44, 59; Lebensbaum CC 67; Ölbaum SR 91, CC 81, 84, GT 26; Pappel SR 14,
47, 56, 67, 83, 88, CC 30, 52, 62, 63, 65, GT 53.

Licht (s. auch **Feuer, Frühlicht, Sonne**) 24, 30, 35, 39 f., 43, 53, 55 ff., 67, 74,
119, 123, 125, 135; SR 50, 58, 60, 79, CC 11, 23, 24, 40, 41, 55, 60, 66,
79, 80, 81, GT 64, 68, 87, 89, NR 421, 423.

Magd (s. **Frauengestalt**)

Männliche Gestalt 10, 114 ff., 122, 132, 141, 144; der Alte SR 19, 31;
Fähnrich GT 12; Gefangener GT 39; Händler GT 12; Hirt SR 11, 33,
CC 31, GT 68; Hirtentasche JR 10; Kesselflicker SR 9; Knabe SR 22,
23; Knecht SR 7, 10, 20, 37; Mann SR 16, 57, CC 35, GT 21, 69, 70,
78, JR 10; Schäfer CC 9; Schnitter SR 14; Soldat GT 39; Vertriebe-
ner SR 90; Zauberer SR 40; Zigeuner SR 16.

Mond 56, 59 f., 96—104 passim, 106, 109, 113, 122 f., 125 f., 130 f., 134, 138,
141; SR 7, 13, 14, 18, 29, 31, 41, 42, 55, 57, 59, 64, 68, 69, 82, 92, CC 9,

12, 23, 29, 30, 34, 38, 63, 65, GT 34, 42, 44, 51, 71, 94; mondhörnig SR 29; mondweiß SR 42; Nachmittagsmond SR 40; Sichel SR 41, 69, 82, 92; sichelhörnig SR 93.

Muschel 43, 105, 116 f., 120, 128; SR 14, CC 25, 40, GT 16, 43; Muschelkies SR 22; Muschelweiß SR 40.

Nacht 23, 31, 39, 54, 56 ff., 62, 83 f., 103, 107 ff., 112, 116 ff., 123, 126, 129, 131, 137 f.; Herbstnacht CC 52; Nacht SR 7, 12, 15, 18, 27, 31, 32, 33, 36, 37, 38, 48, 52, 64, 67, 68, 69, 71, 76, 77, 86, 87, 88, 89, CC 15, 17, 22, 31, 45, 46, 48, 49, 52, 59, 61, 63, 66, 73, 74, 76, 77, 80, GT 8, 9, 10, 13, 30, 42, 44, 46, 58, 60, 68, 71, 77, 89, JR 12, NR 421, 422, 423; nachtanbrausend SR 64; Nachtgeläut SR 9; nachthindurch SR 46; nächtig SR 63; nachts SR 8, 9, 14, 17, 33, 57, 64, 69, 90, CC 14, 30, 35, 45, GT 76; Nachtwind GT 78, NR 421; Rattennächte SR 45.

Nebel 49, 53, 69, 71 ff., 115, 119, 121, 123, 125, 134; SR 17, 25, 26, 36, 52, 66, 75, 83, 84, 86, 91, 93, CC 9, 11, 14, 23, 31, 34, 35, 45, 47, 52, 53, 54, 61, 63, 65, 75, GT 10, 14, 16, 21, 22, 26, 31, 33, 61, 78, 80, 89, 90, JR 10; Nebelfrühe SR 25; Nebelgebüsch SR 84, GT 81; nebelgefiedert GT 64; Nebelgewoge GT 68; nebelgrau SR 76; Nebelhaupt GT 59; nebelsaugend SR 19; Nebelwand GT 67; Nebelwolken GT 57; neblig SR 45, 85.

Pappel (s. Lebensbaum)

Rauch (Blaken, Qualm, etc.) 49, 53, 60, 62, 68 ff., 75, 115 f., 120 f.; Blaken SR 48; blaken SR 7, GT 10, 60; falber Brand aus Gras und Harz SR 53; blätterdunstiges Feuer GT 39; Feuer, von Halmen genährt und nassem Laub GT 9; Feuerrauch SR 57; kienblakende Flamme CC 49; Holunderrauch SR 7; Küchenrauch SR 9; Nebelrauch SR 87; Qualm SR 36, 90, CC 61; qualmen SR 19, CC 35; qualmig SR 86; Rauch SR 12, 19, 47, 53, 54, 86, CC 24, 35, 59, 75, 76, 77, GT 9, 52, 60, 63, 64, 78, 86, 87; rauchen SR 52, CC 4, 30; rußiger Schein SR 19; rußumweht CC 39; schwelen SR 36.

Schatten 21 f., 43, 53, 60, 67, 71 f., 78 f., 125; SR 9, 10, 32, 36, 38, 51, 58, 61, 62, 65, 80, 83, 88, 92, CC 9, 11, 14, 17, 18, 25, 31, 32, 40, 47, 54, 66, 83, GT 11, 14, 16, 17, 21, 26, 41, 44, 53, 59, 62, 63, 86, 92, JR 9; Fensterschatten CC 68; Schattenchausseen SR 84; Schattenwind SR 9.

Schlucht (Hohlweg, s. auch Fluß) 75, 110, 125; Hohlweg CC 45, 48, 65; Schlucht SR 59, CC 14, 30, 31, 49, 52, GT 14, 48, 66.

Schnee (s. Kälte)

Sonne (s. auch Feuer, Frühlicht, Licht) 34, 67, 118; SR 17, 24, 47, 49, 54, 67, 70, 85, 91, CC 45, GT 14, 15, 18, 21, 24, 41, 66, 70, JR 9; Sonnenhufe SR 53.

Spinne (s. auch Faden) 107, 113; SR 7, 10, 24, 39, 52, 60, CC 23, GT 8, 81; Kreuzspinne SR 60; Spinnenzwirn SR 24; Spinnweb SR 49.

Sumpf (Fenn, Luch, Sumpftiere, Sumpfvegetation, Teich etc.) 45, 76, 95 f., 98, 102, 110, 113, 116 f., 119 f., 125 f., 134, 144, 145; Algen SR 28, 40, 59, 64, CC 25, GT 51; Algenflimmern SR 68; algig SR 14; Binsen SR 22, 28; Binsenhaar SR 23; Binsenweg SR 27; Fenn SR 11; Frosch SR 29, GT 57; Froschbauch SR 65; froschköpfig SR 22; Gänseflügel GT 63; Kranich CC 52, 66; Kröte SR 38; Lanke SR 36; Luch SR

32, 36; luchwärts SR 26; moorig SR 84; Reiher GT 57; Ried SR 56; Riedgras SR 12; Rohr SR 27, 32, 40, 64, CC 33, GT 57; Rohrdommel-röhricht CC 47; Rohrgewässer GT 61; Röhricht CC 54, 77, GT 31; Schildkröte CC 30; schildkrötenalt SR 26; Schildkröteninsel CC 19; Schilf SR 22, 27, 44, 64, 66, 82, CC 55, 65, GT 21, 30, 50, 69, 78; Schilfblatt CC 23; Schilfdunst GT 26; schilfig SR 65; Schilfrohr CC 80; verschilft SR 40, 84; Sumpf SR 22, 26, 65, CC 47; sumpfdotter-gelb SR 23; Sumpffeuer SR 29; sumpfig GT 61; Schwan CC 46, 54, GT 30; Teich SR 14, 22, 23, 30, 47, 67, 68, 69, CC 66, GT 26, 30, 67, 89, JR 12; teichgrüntief SR 23; Teichhuhn GT 10; Tümpel GT 31; Unke SR 14, 22, 56, 68; Wasserlache SR 25; Wasserloch SR 84.

Teich (s. **Sumpf**)

Tor 78, 107, 112 f., 118, 120, 122, 137; SR 9, 12, 42, 49, 50, 51, 52, 67, 68, 88, CC 18, 21, 35, 59, GT 46, 64; Erntetor SR 20; Hoftor SR 37; Schleusentor CC 32; Torweg CC 62.

Totenbaum (Ahorn, Weide) 12, 75, 134 f., 141, 145; Ahorn SR 24, 31, CC 76, GT 11, 86; Ahornbäume SR 70; Ahornblatt GT 11; Ahorndunkel CC 49; Ahornfittich CC 48; Ahorngerippe GT 14; Ahornschatten SR 70; Kopfweiden NR 423; Uferweiden SR 22, GT 53; Weide SR 7, 26, 52, 62, 64, 82, 84, 86, GT 26, 31, 50, NR 422; Weidenblatt GT 7; Weidenblätter GT 52; Weidengrau SR 27; Weidenhöhle SR 40; Wei-denmütter GT 26; Weidenreuse SR 19; Weidenrute JR 10.

Totenvogel 18, 48, 51 f., 55, 68, 133, 141, 145 f.; Elster SR 16, 76, GT 13; Krähe SR 81, CC 64, GT 35, 53, 59, 64, 80, NR 421; Krähenflug SR 84; Krähengeschrei GT 10; Krähenschrei SR 22; Krähensitz SR 68; Krä-henwald SR 9; Krähenwinter SR 32; Nebelkrähen SR 32.

Tuch 99, 105, 107 ff., 112 f., 125; SR 42, 52, CC 41, 59, 65, GT 87, NR 421; Kopftuch CC 37; Schultertuch SR 12, CC 48; über den Schultern die löchrige Decke SR 45.

Wald 53, 111, 115, 126, 130 ff., 144; Birkengehölz GT 13; Erlenwald SR 26; Kiefern SR 9; Krähenwald SR 9; Tanne GT 68, CC 82; Wald SR 12, 13, 37, 62, 75, 76, 78, 82, 90, 92, GT 14, 44, JR 9, NR 423; Waldrand SR 16.

Weide (s. **Totenbaum**)

Zeichen 8, 12 ff., 17 ff., 139, 146; SR 70, CC 9, 10, 32, 67, 73, GT 27, 53, 59, 68, 81.

Eine Literaturgeschichte neuer Prägung:

Deutsche Dichter

Ihr Leben und Werk

Unter Mitarbeit zahlreicher Fachgelehrter
herausgegeben von Benno von Wiese

Benno von Wiese entwirft mit dieser literarhistorischen Reihe ein Panorama der deutschen Dichtung in neuerer Zeit. Leben, Werk und literarische Bedeutung der hervorragenden und charakteristischen Dichter und Autoren der einzelnen Epochen werden jeweils von besonderen Fachkennern dargestellt. Bibliographien und Nachweise geben für jeden behandelten Dichter die Unterlagen zu weiterführender Arbeit.

Diese moderne Literaturgeschichte dient für Studium, Unterricht und allseitige Information.

Bisher liegen vor:

Deutsche Dichter der Romantik

530 Seiten, Gr.-8°, Ganzleinen mit Schutzumschlag, DM 38,—

Deutsche Dichter des 19. Jahrhunderts

600 Seiten, Gr.-8°, Ganzleinen mit Schutzumschlag, DM 35,—

Deutsche Dichter der Moderne

3., überarbeitete und vermehrte Auflage, 624 Seiten, Gr.-8°, Ganzleinen mit Schutzumschlag, DM 45,—

Deutsche Dichter der Gegenwart

686 Seiten, Gr.-8°, Ganzleinen mit Schutzumschlag, DM 45,—

Sonderprospekt steht auf Wunsch zur Verfügung!

 ERICH SCHMIDT VERLAG